Janet G. Woititz

LES ENFANTS
D'ALCOOLIQUES

Les enfants de familles dysfonctionnelles
devenus adultes

Traduit de l'américain par
Jean Guimond, BA, Sc, LLB.

DISTRIBUTEURS EXCLUSIFS :

• POUR LE CANADA ET LES ÉTATS-UNIS :
Les Messageries ADP
955 rue Amherst
Montréal (Québec)
H2L 3K4
Tél. : (514) 523-1182
Fax : (514) 939-0406

• POUR LA BELGIQUE ET LE LUXEMBOURG :
Vander S.A.
Avenue des Volontaires, 321
B-1150 Bruxelles
Tél. : (02) 762-9804
Télécopieur : (02) 762-0662

• POUR LA SUISSE :
Transat S.A.
Route des Jeunes, 4 Ter
C.P. 125
1211 Genève 26
Tél. : (41-22) 342-77-40
Télécopieur : (41-22) 343-46-46

• POUR LA FRANCE ET LES AUTRES PAYS :
Quorum Magnard Diffusion
122 rue Marcel Hartmann
94200 Ivry sur Seine
Tél . : 49-59-50-50
Télécopieur : 46-71-05-06

JANET G. WOITITZ

LES ENFANTS D'ALCOOLIQUES

© 1983, 1990, Janet G. Woititz
Publié aux États-Unis par
Health Communications, Inc.
sous le titre de : *Adult Children of Alcoholics*
ISBN 1-558474-112-7

Version française, édition révisée :
Les Éditions Modus Vivendi
C.P. 213, Dépôt Sainte-Dorothée
Laval (Québec) Canada
H7X 2T4

Traduit de l'américain par Jean Guimond, BA, Sc, LLB.
Design et illustration de la couverture : Marc Alain
Montage de la couverture : Steve D. Perron
Infographie : Steve D. Perron

Dépôt légal : 1er trimestre 1995
Bibliothèque nationale du Québec
Bibliothèque nationale du Canada

ISBN : 2-921556-12-X

Table des matières

Remerciements

e désire remercier les nombreuses personnes qui ont rendu ce livre possible. Ce sont les enfants de parents alcooliques, et de parents non alcooliques, de tout âge.

À Diane DuCharme, qui m'a incitée à écrire ces lignes.

À Sue Nobleman, Debby Parons, Tom Perrin et Rob, pour leur engagement indéfectible dans ce projet.

À Lisa, Danny et Dave.

À Kerry C., Jeff R., Irene G., Eleanor Q., Barbara P., Martha C., Loren S., mes étudiants à Montclair State, et ceux de la Rutgers University Summer School for Alcohol Studies, mon groupe d'études Advanced Techniques in Family Therapy (Westchester Council on Alcoholism), Sharon Stone, Harvey Moscowitz, Linda Rudin, Eileen Patterson, Bernard Zweben et James F. Emmert.

Avant-propos sur l'édition révisée

uand j'ai étudié, il y a dix ans, la possibilité d'écrire un livre sur ce qu'il advenait aux enfants d'alcooliques au moment où ils grandissaient, je n'avais aucune idée de l'effet qu'un tel projet pouvait susciter.

J'ai toujours cru que lorsqu'on perçoit le monde de façon différente des autres, on doit leur en faire part et partager avec eux. C'est ainsi que je me suis mise à l'oeuvre. Mes amis et mes collègues ont haussé les épaules. Une fois de plus, je me faisais une montagne d'un rien. Puisqu'il s'agissait là d'une position coutumière, je n'étais aucunement dérangée.

J'avais complété ma dissertation de doctorat: *Self-Esteem in Children of Alcoholics* (Amour propre chez les Enfants d'alcooliques), au milieu des années 1970. *The Forgotten Children* (Les enfants oubliés) de Margaret Cork constituait, à l'époque, le seul ouvrage dans ce domaine. Il semblait y avoir peu d'intérêt pour ce genre de sujet. On était porté à croire dans le domaine de l'alcoolisme que lorsque le principal intéressé s'éloignait de son problème il en serait de même pour les membres de sa famille, de sorte qu'on concentrait l'attention sur l'alcoolique. Après tout, n'est-il pas vrai qu'on considère la personne avec un abat-jour sur la tête plus intéressante que le partenaire blotti dans un coin? Ce n'était pas mon cas; j'ai toujours été davantage fascinée par la réaction des spectateurs que par le jeu des acteurs.

Les années 1970, au moment où je m'affairais à ma recherche, constituaient une période de grande exploration individuelle. C'était l'époque des groupes de rencontres, d'exploration des drogues et de la liberté sexuelle. Jusqu'à nouvel ordre, c'était l'époque du moi — moi — moi. Donc, le fait qu'il y ait eu des millions de gens profondément touchés par le comportement et l'attitude des autres, et que ces personnes n'avaient aucun «moi» comme tel allait à l'encontre du courant de l'époque.

Je n'avais pas mâché mes mots au sujet de la guerre du Vietnam, au moment où John Kennedy était président. J'avais manifesté en faveur des droits civiques, bien avant les «sit-ins». Comme j'étais très consciente de l'influence accablante de l'alcoolisme de mon époux, dans ma vie privée et dans celle de mes enfants, il fallait que je manifeste ma position et la façon dont je l'interprétais. Comme je m'y attendais, on ne partageait pas mon point de vue.

Mon intérêt sans borne pour le bien-être de la famille m'a amenée à écrire *Marriage on the Rocks* (Mariage au bord de la rupture). J'ai découvert que si je faisais part à mes clients de ce que d'autres personnes que je connaissais vivaient avec l'alcoolisme, je réduisais leur déni. Lorsque je m'exprimais avant eux, ils étaient ébahis, voire soulagés. J'en ai donc conclu que si quelqu'un pouvait connaître ces sensations et expériences, dans un texte imprimé, ils en deviendraient plus conscients et la démarche du processus thérapeutique en serait grandement améliorée. Il fallait que quelqu'un fasse jaillir ces faits — l'information devait être partagée.

Au moment de la parution de *Marriage on the Rocks*, j'ai fait une tournée de publicité en visitant tous les marchés importants de ces pays. L'idée de l'influence de ce que nous appelons maintenant la «codépendance» n'était pas d'intérêt général. Bien que le besoin fut immense, le déni était nettement supérieur.

Ironiquement, à toutes les stations de radio et de télévision, ou presque, j'ai été accueillie avec des excuses. Mon livre avait mystérieusement disparu. Je savais ce que cela voulait dire. Quelqu'un avec un problème d'alcoolisme était trop gêné pour l'emprunter. J'ai aussi découvert qu'on m'invitait non pas parce qu'il s'agissait d'un «sujet bouillant», mais plutôt parce qu'un journaliste ou un producteur affecté par le problème sollicitait une session privée avec quelqu'un qui «comprenait.»

Le programme Al-Anon a toujours été et continue d'être une source primaire pour les membres d'une famille. Je serai toujours reconnaissante pour l'appui personnel et l'encouragement professionnel dont j'ai bénéficié dans leurs salles de conférence. C'était le seul endroit où les gens croyaient que la famille pouvait se rétablir indépendamment de l'orientation de l'alcoolique. Puisque le programme est avant tout conçu pour aider les nouveaux membres ce qui est bien d'ailleurs, les autres, qui font face à des circonstances différentes, doivent interpréter ce que l'on dit et l'adapter à leur propre vie pour en tirer certains avantages. Les Enfants d'alcooliques devenus adultes, qui ont aussi besoin d'aide, sont en quelque sorte débranchés. L'élaboration de groupes d'assistance visant spécialement les Ed'a (Enfants d'alcooliques) comble cette lacune.

En 1969, j'ai été invitée à participer à un symposium à Washington, D.C., concernant les services aux enfants d'alcooliques. L'entreprise était commanditée par la National Institute for Alcoholism and Alcohol Abuse (NIAAA/L'Institut National d'alcoolisme et d'abus d'alcool). Douze personnes d'entre nous avaient été invitées et nous avons appris que le choix des représentants avait été fondé sur les seules vingt-quatre personnes disponibles au pays. Pour la première fois de ma vie, j'ai senti que je faisais partie d'un groupe de professionnels qui appréciaient l'importance de la démarche.

En 1980, j'ai été invitée à concevoir et présenter un cours de conseils aux Enfants d'alcooliques à la Rutgers University Summer School of Alcohol Studies (Session d'été d'études sur l'alcool à l'Université Rutgers). C'était alors, au meilleur de ma connaissance, et ce l'est toujours, le seul cours de ce genre dans le monde entier. Il est bien évident, et il faut le souligner, que la Rutgers et tous ceux qui ont désiré participer à l'école d'été constituaient les chefs de file en matière d'éducation. Ce cours a allumé la flamme, et quelle merveilleuse sensation d'avoir été reconnue et appuyée. Peu après, l'intérêt s'est grandement accru au sein de la communauté alcoolique et j'ai reçu bon nombre d'invitations, d'un bout à l'autre du pays, afin de parler à des professionnels et à leur donner une formation.

À peu près à la même époque, j'ai réalisé que les adolescents que j'avais connus par l'entremise d'amis du mouvement Al-Anon, et par le biais de ma pratique, grandissaient. Il me semblait évident que les problèmes de ceux qui étaient affectés par un parent alcoolique étaient différents de ceux, du même âge, que j'avais connus et avec qui j'avais travaillé. Un bon jour, au moment où je présentais une lecture sur les Enfants d'alcooliques, j'ai glissé, «L'enfant d'un alcoolique n'a pas d'âge. C'est aussi vrai pour une personne de cinq ans que de 55 ans.» Je suis convaincue que c'est à partir de ce moment que les gens ont commencé à penser de façon différente. Je ne parlais plus des «enfants». Je parlais d'eux.

J'ai pris la décision de former un groupe qui visait les Ed'a, afin de travailler dans ce secteur, avec des cas individuels, et de vérifier la découverte sur une base nationale. Au cours des deux années suivantes, c'est précisément ce que j'ai fait. Peu importe où j'allais, ici au pays ou ailleurs, la réponse était toujours la même: «C'est exactement le cas de ma vie.» — «Enfin, je prouvais la justesse de mon argument.» «Je ne souffre pas de démence.» À partir de ces données, j'ai écrit le livre *Adult Children of Alcoholics (Les Enfants d'alcooliques)*.

Il ne s'agissait pas là d'un travail clinique ou d'un rapport scientifique basé sur ma recherche. C'était plutôt ma façon de partager mes observations sur le consensus de la compréhension de soi chez des centaines d'Enfants d'alcooliques devenus adultes avec qui j'avais communiqué. En étalant les caractéristiques des Ed'a, je n'exposais pas des défauts caractériels: je partageais ce que j'avais découvert. J'ai toujours cru que la connaissance constitue une liberté et ceux qui la reconnaissent avaient maintenant de nouveaux choix. Ils étaient maintenant en mesure de changer certains aspects de leur personnalité qui avaient provoqué des difficultés, ou ils pouvaient ne rien faire du tout. Dans un cas comme dans l'autre, ils se découvraient davantage, se comprenaient mieux. C'était une situation, à tout point de vue, gagnante.

Les Enfants d'alcooliques n'est pas devenu un best seller du jour au lendemain. Bon nombre d'éditeurs l'ont refusé. Une fois de plus on me rappelait que j'amplifiais un problème qui était en fait mineur. Peut-être mes écrits valaient-ils un dépliant mais pas un livre. J'ai rencontré Gary Seidler du *U.S. Journal* lors d'un colloque national sur l'alcoolisme; il connaissait mon travail et m'a demandé de lui présenter mon manuscrit. Nous nous en réjouissons tous les deux.

Mon livre a été publié la première fois en 1983 et distribué par commandes postales, les libraires n'étant aucunement intéressés. Les Ed'a qui l'ont lu ont répandu la nouvelle et les gens se sont mis à acheter des exemplaires pour les membres de leur famille. On se passait le mot et les librairies durent le stocker en raison de la demande, quoique dans la plupart des cas on le cachait dans l'arrière-boutique. Les gens qui en désiraient un exemplaire devaient en faire la demande, il leur était impossible de le cueillir sur un rayon. Cela provoquait une certaine gêne chez les gens qui avaient appris à cacher certains secrets de famille. Ils étaient maintenant forcés de demander à un étranger un titre qui, à lui seul, était très révélateur. Le besoin cependant l'emporta sur la gêne.

En 1987, le livre s'est retrouvé sur la liste des best sellers du *New-York Times* et garda cette position pendant près d'un an. Le livre n'avait bénéficié d'aucune forme de publicité ou de commercialisation. Même au moment où il figurait sur cette liste, on l'éloignait, la plupart du temps, des autres succès de librairie, en dépit de la demande populaire. Tous ceux et celles qui croyaient que le contenu pouvait être utile exigeaient de le lire.

Au moment d'aller sous presse, avec la présente édition, *Les Enfants d'alcooliques* s'était vendu à près de 2 millions d'exemplaires aux États-Unis, au Canada, en Angleterre, en Australie et en Nouvelle-Zélande. L'oeuvre a été traduite en norvégien, en finnois, en danois et en allemand, et bientôt en russe. Partout dans le monde on commence à reconnaître que l'impact de l'alcoolisme sur les enfants a autant d'importance que la culture, la race, l'origine ethnique, la religion ou l'économie. Il s'agit là d'une dimension pandémique : le langage de la douleur est universel.

Il est donc très évident que l'impact des autres systèmes en difficulté est similaire et que le concept de la famille «alcoolique» constitue aussi un modèle pour bon nombre d'autres familles dysfonctionnelles.

Puisque abandonner «les secrets» fait partie du processus de guérison de l'alcoolisme, les gens qui doivent surmonter ce fléau n'ont plus rien à cacher. Ils nous permettent de façon magistrale de les étudier ... et d'apprendre. Il en découle un avantage marqué pour eux, pour nous et pour tous les autres qui s'y identifient.

Enfants d'alcooliques a d'abord été écrit en ne tenant compte que des Enfants d'alcooliques. Depuis sa première parution, nous avons découvert que le matériel présenté se rapporte aussi à d'autres types de familles dysfonctionnelles. Pour ceux et celles qui n'ont pas grandi avec l'alcoolisme mais qui ont vécu avec d'autres comportements compulsifs comme, par exemple, le jeu, les drogues ou la suralimentation, ou pour ceux qui ont été exposés à une maladie chronique ou à certaines attitudes religieuses profondes ou encore pour ceux et celles qui ont été adoptés, qui ont vécu dans un foyer nourricier ou tout autre système potentiellement dysfonctionnel, il est fort possible que ces personnes puissent se reconnaître à travers les caractéristiques précitées. Il appert que presque tout ce qui s'applique aux Enfants d'alcooliques s'applique également à d'autres et que cette compréhension peut réduire l'isolement d'un nombre indescriptible de personnes qui se croyaient «différentes» en raison de leur expérience de vie. Bienvenue.

En 1985, je fondais l'*Institute for Counseling and Training* (Institut d'orientation et de formation), avec plusieurs talentueux collègues, à Verona, New Jersey. L'Institut, qui est maintenant situé à West Caldwell, vise à offrir l'excellence en soins externes et une formation appropriée aux personnes et aux familles touchées par le système de «familles d'alcooliques». Un autre but de l'Institut est d'offrir une base de recherche afin d'accroître la connaissance dans le domaine. Cette démarche a permis à plusieurs autres travaux publiés de sonder plus profondément les aspects discutés, en termes généraux, dans *Enfants d'alcooliques*.

Struggle for Intimacy (*Vivre ensemble*, 1994 aux Éditions Modus Vivendi) a été rédigé à titre de réponse directe à nos clients qui désiraient établir une relation saine et intime, en tenant compte du douloureux processus associé à cette démarche. Il est important de préciser la nature du défi afin de pouvoir apporter les changements désirés.

Je voulais que ceux qui oeuvrent dans les programmes d'assistance aux employés comprennent la valeur et les conflits que vivent les Ed'a. Ce désir m'a incitée à écrire *Home Away From Home* (Un chez-soi éloigné du foyer). Il s'agissait là d'une tentative de préciser la valeur de l'Enfant d'alcoolique au sein du milieu de travail, ainsi que le risque d'épuisement total lorsque cette valeur est surexploitée. Plus tard, une édition conçue pour l'ensemble des consommateurs a été publiée sous le titre de *The Self-Sabotage Syndrome* (Le syndrome de l'autosabotage). Le point culminant des deux parutions repose sur le fait que lorsque les gens n'étudient pas les caractéristiques des Ed'a, le lieu de travail devient une reproduction du foyer et l'adulte enfant se sent une fois de plus victime.

Nous voyons de plus en plus d'hommes et de femmes qui souffrent d'un traumatisme associé à un abus de sexe et qui nécessitent un traitement curatif. Leurs expériences les empêchent d'apprécier leur valeur individuelle ou en relation avec les autres. Cette dimension m'a amenée à écrire *Healing Your Sexual Self* (La guérison de sa sexualité personnelle).

Les Enfants d'alcooliques a été essentiellement fondé sur les prémisses que chez l'Ed'a il existe une carence de bases de données: les Ed'a n'apprennent pas ce que les autres enfants apprennent en grandissant. Même s'ils se tirent merveilleusement bien d'une crise, ils ne font jamais l'apprentissage du processus quotidien de «vivre». Donc, lorsque Alan Garner m'a suggéré d'écrire avec lui le livre *Life Skills For Adult Children* (Les attitudes de vie chez les adultes enfants), cela me semblait l'étape logique à suivre: une retour aux notions fondamentales. La perspicacité et l'ajustement ont quand même leurs limites. L'étape suivante est donc de «vivre ses dimensions» et d'apprendre «comment le faire.»

Lorsque Peter Vegso m'a demandé de réviser la version orginale des *Enfants d'alcooliques*, j'ai eu une drôle de sensation. Après tout, ce qui était vrai à l'époque l'était toujours. Pourquoi doit-on réparer quelque chose qui fonctionne? Plus j'y pensais, plus je me rendais compte qu'il manquait une section : le rétablissement. Au moment où j'ai écrit le livre, il n'existait aucun programme de rétablissement pour les Ed'a. Le concept de validité de l'appellation Ed'a faisait l'objet d'un débat et bon nombre de gens acceptaient difficilement l'idée qu'on pouvait se remettre d'une telle expérience.

Au même moment, le livre était offert sur le marché et des groupes d'assistance se formaient dans différents endroits du pays. Au fur et à mesure que ces groupes prenaient racine, les programmes de rétablissement suivaient, et plus de gens travaillaient et écrivaient dans ce sens. Au cours des quelques dernières années, un plus grand nombre de thérapeutes se sont spécialisés dans les relations avec des Ed'a, les livres, les ateliers et les conférences se sont multipliés. La conscience du public s'est accrue et, de ce fait, est née l'«industrie» de rétablissement.

On éprouvait jadis une certaine honte à admettre qu'on provenait d'une famille dysfonctionnelle; maintenant, c'est admissible. Il fut un temps où l'isolement de cette expérience de vie était profond; on peut maintenant se sentir à part entière, membre de la grande famille des humains. En raison de ces développements, le rétablissement prenait une signification spéciale pour les Ed'a. Donc, tout livre de base qui explique le vécu d'un Ed'a doit offrir une section de conseils de rétablissement afin de maintenir le processus de guérison des Ed'a. Un nouveau chapitre a été ajouté ainsi qu'une histoire abrégée de «The ACoA book» (le Livre des Ed'a) ainsi que le «mouvement ACoA/Ed'a».

Il fait bon d'être entendue, enfin!

Introduction

epuis plusieurs années, la société a été exposée à une foule de recherches sur l'alcoolisme. Bien que les données varient, on s'entend généralement pour dire qu'il y a plus de dix millions d'alcooliques aux États-Unis.

Ces personnes, en plus d'être elles-mêmes victimes, créent une influence adverse chez les gens qui les côtoient à tous les jours. Les employeurs, les parents, les amis et les familles d'alcooliques souffrent des effets de cette maladie. Une quantité inestimable d'heures de travail sont perdues en raison d'absentéisme et d'inefficacité à cause de l'alcool. Les parents et les amis sont forcés d'inventer des excuses et de cacher l'alcoolique. Les promesses de ne plus boire, bien que de courte durée, sont acceptées par ceux et celles qui cherchent leur bien-être et ces gens, sans s'en rendre compte, font éventuellement partie du problème.

Plus ces personnes sont proches de l'alcoolique plus ils en souffrent. La famille est profondément touchée lorsque l'employeur doit congédier l'alcoolique.

La famille est affectée lorsque les parents et les amis ne peuvent plus tolérer les conséquences de l'alcoolisme et s'éloignent de la personne atteinte et de sa famille. La parenté immédiate est directement affectée par son comportement. Ne pouvant contrebalancer ce mouvement, sans aide, les membres de la famille deviennent victimes des conséquences.

L'intérêt principal s'est toujours centré autour de l'alcoolisme, de l'abus d'alcool et des alcooliques. On n'a jamais accordé la même attention à la famille ou, plus spécifiquement, aux enfants qui vivent dans la maison d'un alcoolique.

Il va sans dire qu'un bon nombre d'enfants sont affectés par un tel mode de vie. Leur identification a toujours été difficile pour une foule de raisons, incluant la gêne, l'ignorance de l'alcoolisme comme maladie, le déni et la protection des enfants contre la cruelle réalité.

Bien que le comportement, même face à la douleur, se manifeste de façons différentes, les Enfants d'alcooliques semblent afficher, dans l'ensemble, peu d'amour-propre. Ce n'est pas surprenant, puisque la nomenclature sur le sujet indique que les conditions qui ont amené une personne à s'évaluer et à se voir comme valable peut se résumer par des expressions «affection parentale», «limites précisément établies» et «traitement respectueux.»[1]

Dans bon nombre d'ouvrages, on constate que ces conditions sont soit absentes soit présentes de façon inconsistante dans un foyer alcoolique.[2] Le comportement d'un parent alcoolique est affecté par sa chimie interne, tandis que le comportement du parent non alcoolique est affecté par la réaction de l'alcoolique. Il reste peu d'énergie émotive pour répondre aux nombreux besoins des enfants victimes de cette maladie.

Les parents représentent un modèle, qu'ils le veuillent ou non. Selon Margaret Cork, c'est dans sa relation de «donnant, donnant» avec ses parents et les autres que l'enfant découvre un sens de sécurité, d'amour-propre et la possibilité de traiter les problèmes internes complexes de son existence.[3]

L'étude de Coopersmith indique que l'adolescent mâle développe une confiance en lui-même, un goût pour l'aventure et l'aptitude à combattre l'adversité lorsqu'on le traite avec respect et qu'on lui offre certaines normes de valeur bien définies, une attente de compétence et en lui indiquant comment résoudre ses problèmes. L'évolution vers l'indépendance individuelle provient d'un environnement bien structuré plutôt que trop permissif et exagérément libéral.

La recherche de Stanley Coopersmith et Morris Rosenberg les a amenés à croire que les élèves qui ont un degré élevé d'amour-propre se perçoivent comme prospères. Ils sont relativement éloignés de l'anxiété et des symptômes psychosomatiques et peuvent même évaluer leurs aptitudes de façon réaliste. Ils sont confiants que leurs efforts leur procureront un certain succès, tout en étant très conscients de leurs limites. Les personnes douées d'un haut degré d'amour-propre sont ouvertes, bénéficient d'une certaine reconnaissance sociale et s'attendent à être reconnues. Ces personnes acceptent leur entourage et vice versa.

Par contre, selon Coopersmith et Rosenberg, les élèves qui ont un faible degré d'amour-propre se découragent facilement et sont parfois déprimés. Ils se sentent isolés, sans amour et guère attachants. Ils semblent incapables de s'exprimer ou de défendre leurs insuffisances socio-affectives. Ils sont tellement préoccupés par leur timidité et leur anxiété que leur possibilité de s'épanouir pleinement peut être détruite.[4]

Ma propre recherche dans «*Self-Esteem in Children of Alcooholics*»[5] (L'amour-propre chez les Enfants d'alcooliques) m'a indiqué que les enfants de parents alcooliques affichent moins d'amour-propre que ceux qui proviennent de foyers sans abus d'alcool. Cette situation était prévisible. Puisque l'amour-propre est fondé, avant tout, sur le traitement respectueux et l'accueil de la part des autres, il est logique de présumer que la présence inconsistante de ces conditions dans un foyer alcoolique influence de façon négative la possibilité pour un être humain de se bien sentir.

Il est intéressant de constater qu'un élément variable comme l'âge du sujet ne constituait, d'aucune façon, un déterminant d'amour-propre.[6] Les adolescents de 18 ans et de 12 ans, selon l'étude, se voyaient essentiellement de la même façon. Il se peut que leur comportement soit différent, mais leurs sentiments personnels ne sont pas différents. Cette constatation soulève le fait que la perception de soi ne change pas avec le temps, sans une forme quelconque d'intervention. La manifestation d'aptitude personnelle change, mais non la perception.

Il est vrai, et les recherches tendent à appuyer ce concept, que les Enfants d'alcooliques représentent un segment important de la population auquel on doit porter attention.

Nous n'avons pas ignoré cette population. Nous n'en avons tout simplement pas tenu compte de façon satisfaisante. Nous les avons appelés alcooliques. Nous les avons appelés épouses d'alcooliques. Nous ne leur avons accordé aucune reconnaissance de la dimension totale. Il est temps de les identifier. Il est temps de les appeler Ed'a-devenus adultes. Il est important de reconnaître ce fait puisque, si nous le faisons, les implications de traitement sont profondes. L'Enfant d'alcoolique devenu adulte a été affecté et a réagi de façon probablement différente des autres enfants qui n'ont pas vécu cette expérience. Le présent ouvrage entend brosser un tableau de l'enfant adulte d'un alcoolique, de ce que cela signifie et des implications que cela représente.

On y découvrira comment une mauvaise impression de soi se manifeste ainsi que des suggestions spécifiques pour changer certaines choses, lorsque cela est désirable.

J'ai travaillé avec des groupes d'Enfants d'alcooliques. Nous observons en profondeur leurs pensées, leurs attitudes, leurs réactions et leurs sentiments : nous tenons compte de l'influence puissante de l'alcool dans leur vie.

La moitié du groupe est constituée d'alcooliques sur le point de se rétablir, l'autre moitié ne l'est pas. La moitié est représentée par des hommes, l'autre par des femmes. La plus jeune a 23 ans. Certains participants sont mariés, d'autres sont célibataires. Certains ont des enfants, d'autres n'en ont pas. Chacun(e) recherche l'épanouissement personnel.

Certaines généralités font surface, sous une forme ou une autre, à chacune des rencontres. Ces perceptions sont dignes d'un examen minutieux et d'une discussion approfondie.

1. Les Enfants d'alcooliques devenus adultes se posent des questions sur ce qu'est un «comportement normal».
2. Les Enfants d'alcooliques éprouvent certaines difficultés à piloter un projet et à le réaliser pleinement.
3. Les Enfants d'alcooliques mentent, alors qu'il serait tout aussi facile de dire la vérité.
4. Les Enfants d'alcooliques se jugent impitoyablement.

5. Les Enfants d'alcooliques éprouvent beaucoup de difficulté à s'amuser.
6. Les Enfants d'alcooliques se prennent très au sérieux.
7. Les Enfants d'alcooliques éprouvent de la difficulté à engendrer une relation intime.
8. Les Enfants d'alcooliques réagissent avec excès devant tout changement qu'ils ne peuvent contrôler.
9. Les Enfants d'alcooliques recherchent constamment l'approbation et l'affirmation.
10. Les Enfants d'alcooliques ont la sensation qu'ils sont différents des autres.
11. Les Enfants d'alcooliques sont démesurément responsables ou irresponsables.
12. Les Enfants d'alcooliques sont extrêmement loyaux, même lorsqu'une telle manifestation de loyauté est imméritée.
13. Les Enfants d'alcooliques agissent impulsivement. Ils ont tendance à s'emprisonner dans une voie sans prendre sérieusement en considération les comportement alternatifs ou les conséquences possibles. Cette impulsivité mène à la confusion, au dégoût de soi-même et à la perte de contrôle sur leur environnement. De plus, ils consacrent une quantité excessive d'énergie à réparer les dégâts.

Ce livre est dédié aux Enfants d'alcooliques. J'espère également que les conseillers et autres personnes intéressées le trouveront utile.

Cela peut se produire de plusieurs façons: (1) dans le but d'obtenir une meilleure connaissance et une meilleure compréhension de l'univers d'un Enfant d'alcoolique, et de quelle façon le processus évolue avec le temps; (2) en l'utilisant comme guide personnel ou clinique dans une dimension de croissance individuelle; et (3) à titre d'outil de base à la discussion de groupes concernant les Enfants d'alcooliques de-venus adultes.

De tous les coins du pays, j'ai reçu des demandes d'information sur la façon d'organiser des groupes pour les Enfants d'alcooliques: comment répondre à leurs besoins spéciaux, tout en demeurant fidèle aux principes des AA et des Al-Anon. Le présent ouvrage répond à ces questions.

Notes

1. Coopersmith, S. «Self-Concept Research Implications for Education.» Exposé présenté à l'American Education Research Association, Los Angeles, Californie, le 6 février 1969.
2. Bailey, M.B. *Alcoholism and Family Casework.* New-York: National Council on Alcoholism, New York City Affiliate Inc., 1968. Hecht, M. «Children of Alcoholics Are Children at Risk,» *American Journal of Nursing* 73(10), Octobre, 1973: 1764-1767.
3. Cork, Margaret. *The Forgotten Children.* Toronto: Alcohol and Drug Addiction Research Foundation, 1969, p. 36.
4. Coopersmith, S. *The Antecedents of Self-Esteem.* San Francisco: W.H. Freeman and Co., 1967. Rosenberg, Morris, *Society and the Adolescent Self-Image.* Princeton, New Jersey: Princeton University Press, 1965.
5. Woititz, J. Doctoral Dissertation, New Brunswick, New Jersey: Mai, 1976.
6. Certains éléments variables tels que le sexe, la religion, l'occupation ou l'ordre d'enfants de mêmes parents ont aussi démontré qu'il n'existait aucune signification statistique.

CHAPITRE 1

Que vous est-il arrivé lorsque vous étiez enfant?

À quel moment l'enfant n'est plus enfant? Lorsque l'enfant vit avec l'alcoolisme. Mais, plus précisément, quand un enfant perd-il son allure enfantine? Vous avez certainement ressemblé à un enfant; vous vous êtes habillé comme un enfant. Les gens vous voyaient comme un enfant, sauf s'ils se rapprochaient assez de cette frontière de tristesse dans vos yeux ou de ce regard inquiet qui vous caractérisait. Votre comportement était celui d'un enfant, mais sans les gamineries, sans la participation active. Vous ne reflétiez pas la spontanéité des autres enfants. Mais personne ne s'en apercevait. C'est-à-dire que, avant de s'approcher de vous, et même lorsqu'ils le faisaient, les gens ne comprenaient probablement pas ce qui se passait.

Quels que fussent leurs impressions et leurs commentaires, le fait demeure que vous ne vous sentiez vraiment pas comme un enfant. Vous ne saviez même pas ce que c'était pour un enfant d'avoir des sentiments. Un enfant c'est un peu comme un petit animal . . . qui offre et reçoit librement et facilement l'amour, dans une gaieté quelque peu espiègle, endiablée, cherchant approbation ou récompense, tout en accomplissant le moins possible, dans une dimension d'insouciance manifeste. Si un enfant est comme un petit animal, vous n'étiez pas enfant.

D'aucuns pourraient vous décrire dans une seule phrase, probablement à cause du rôle que vous aviez adopté au sein de la famille. Un enfant qui vit dans un environnement alcoolique joue un rôle semblable à celui qui évolue dans une famille dysfonctionnelle. Mais dans ce genre de famille, les faits sont nettement évidents. D'autres en sont aussi conscients, seulement, nul ne le reconnaît précisément.

Par exemple: «Regardez Émilie, n'est-elle pas remarquable? Elle est certes l'enfant la plus responsable que je connaisse. J'aimerais avoir une telle enfant chez moi.»

Si vous étiez cette Émilie, vous faisiez un grand sourire, vous vous sentiez bien et heureuse des compliments. Vous ne vous accordiez probablement pas le moment de penser: «Que j'aimerais donc être assez bonne pour eux!» Et vous ne pensiez sûrement pas: «Que j'aimerais donc que *mes* parents me trouvent aussi formidable. J'aimerais donc pouvoir être assez bonne pour eux» ou «Eh bien, si je n'y parvenais pas, qui le ferait à ma place?»

Pour quelqu'un qui regardait de l'extérieur, vous étiez simplement une remarquable petite enfant. Et à vrai dire, vous l'étiez. Eux cependant, ne voyaient qu'une fraction de l'image.

Vous jouiez peut-être un autre rôle dans la famille. Vous étiez peut-être le bouc émissaire, celle qui avait toujours des problèmes. Vous étiez peut-être l'excuse familiale qui permettait de ne pas voir ce qui se passait réellement. Les gens disaient: «Avez-vous vu ce Thomas, il est toujours pris dans une difficulté quelconque. Les garçons sont les garçons. À son âge, j'étais comme lui.»

Si vous étiez ce Thomas, que ressentiez-vous? Peut-être vous refusiez-vous le droit de ressentir. Vous n'aviez qu'à regarder une personne et, dès lors, vous saviez qu'elle *n'était pas* comme vous, lorsqu'elle avait votre âge. Si non, elle n'aurait pas cette attitude. Pourtant, vous ne pouviez vous permettre de dire, ou même de vous demander: «Que faudrait-il que je fasse pour qu'il m'accorde un peu plus d'attention? Pourquoi faut-il que les choses se déroulent ainsi?»

Vous ressembliez peut-être davantage à Barbara — peut-être étiez-vous le bouffon de la classe? «Wow, elle sera certainement comédienne quand elle sera grande. Qu'est-ce qu'elle est intelligente, drôle, pleine d'esprit!» Et si vous étiez Barbara, vous affichiez peut-être un sourire, mais intérieurement vous vous demandiez: «Savent-ils ce que je ressens vraiment? La vie n'est pas aussi drôle que l'on pense. Je crois les avoir dupés, mais je ne peux leur laisser savoir.»

Ensuite, il y a la petite Michelle, ou est-ce Lise? D'une manière ou d'une autre, je ne me souviens jamais du nom. Cette petite fille, là-bas, blottie dans un coin. Cette enfant renfermée — celle qui ne crée jamais de problème. Et l'enfant qui s'interroge: «Suis-je visible?» Cette enfant ne veut pas vraiment être invisible; elle se réfugie dans une coquille, en espérant se faire voir, impuissante devant les faits.

Vous ressembliez à une enfant, vous vous habilliez comme une enfant, et jusqu'à un certain degré, vous agissiez comme une enfant, mais que diable, vous n'aviez pas les sentiments d'un enfant. Regardons de plus près ce qui se passait à la maison.

31

La vie de famille

Les Enfants d'alcooliques grandissent dans des environnements similaires. Les personnages sont différents, mais ce qui se produit dans un foyer alcoolique ou dans un autre n'est pas tellement différent. Les événements spécifiques peuvent varier mais, en général, un environnement alcoolique est semblable à un autre. Le courant sous-jacent de tension et d'anxiété est omniprésent. Ce qui se produit en particulier peut varier, mais la douleur et les remords suivent de façon prévisible. Les différences les plus évidentes concernent plus votre réaction aux expériences elles-mêmes.

Vous intériorisiez, de façon différente, ce qui s'était produit et vous vous comportiez différemment. Néanmoins, la plupart d'entre vous ressentiez les mêmes sensations internes.

Vous souvenez-vous ce que vous ressentiez à la maison? Vous pouvez visualiser par l'apparence physique, mais vous souvenez-vous des sentiments que vous éprouviez? À quoi vous attendiez-vous en franchissant le seuil de la porte? Vous espériez que tout soit parfait, sans en être réellement convaincu(e). La seule chose que vous saviez c'était justement que vous ne saviez pas ce que vous alliez trouver ou... ce qui allait se produire. Et, d'une façon ou d'une autre, quel que fut le nombre d'occasions où les choses avaient mal tourné, dès que vous passiez la porte, vous n'étiez jamais préparé(e) aux circonstances. Si votre père était l'alcoolique, parfois il était affectueux, voire chaleureux. Il personnifiait tout ce que vous désiriez d'un père: la bienveillance, l'intérêt, la participation, la promesse d'obtenir tout ce qu'un enfant désire. Et vous saviez que de plus, il vous aimait.

Mais parfois il n'agissait pas ainsi lorsqu'il était en état d'ébriété. Lorsqu'il ne rentrait pas, vous attendiez avec inquiétude. À la maison, il tombait ivre mort, se querellait avec votre mère, se tournait même contre vous — une expérience cauchemardesque. Parfois vous vous immisciez entre eux, afin de rétablir l'ordre. Sans savoir ce qui allait se produire, vous ressentiez toujours un certain désespoir. Et, inévitablement, le père alcoolique oubliait toutes les belles promesses qu'il avait faites la journée précédente. Cela vous semblait incompatible, puisque vous saviez qu'il était sincère au moment de les formuler et vous pensiez: «Pourquoi ne se réalisent-elles jamais? Pourquoi ne fait-il jamais ce qu'il promet de faire? Ce n'est vraiment pas juste!»

Il y avait aussi votre mère. Aussi étrange que cela puisse paraître, même avec tous ses problèmes, vous préfériez peut-être votre père. Puisqu'elle ronchonnait, qu'elle était irascible, en agissant comme si elle portait l'univers sur ses épaules, qu'elle était toujours à bout de force, vous aviez la sensation d'être dans son chemin. En dépit de ses tentatives de vous prouver le contraire, vous ne pouviez chasser ce sentiment.

Peut-être allait-elle travailler, votre père étant sans emploi. Vous ne pouviez vous empêcher de croire que sans votre présence, il n'y aurait peut-être pas autant de problèmes. Votre mère ne se querellerait pas avec votre père. Elle ne serait pas toujours tendue; elle ne passerait pas son temps à hurler de rage; elle serait peut-être moins coléreuse. La vie serait peut-être plus facile si vous n'étiez pas là. Vous vous sentiez très coupable. Pour une raison ou une autre, votre existence était la cause de ces désarrois: si vous étiez un meilleur fils, une meilleure fille, il y aurait moins de problèmes. C'était entièrement votre faute, mais il ne semblait pas y avoir grand chose à faire pour créer une réelle qualité de vie.

Si votre mère était l'alcoolique, il est fort probable que votre père l'ait déjà quittée ou qu'il s'attardait au bureau jusqu'en soirée. Il n'avait pas du tout envie d'être présent. Ou peut-être, il arrivait à la maison le midi pour faire le travail de votre mère. Il cousait les boutons sur vos vêtements, préparait le repas. Cela s'est peut-être produit pendant un certain temps. Mais, cette situation vous semblait bizarre, parce que vous saviez que ce n'était pas sa responsabilité et qu'il le faisait pour contre-balancer l'ébriété de votre mère.

À la fin, vous vous chargiez peut-être de certaines responsabilités coutumières de votre mère. Jeune, vous avez appris à cuisiner, à nettoyer et à faire les courses. En plus de prendre charge de vos jeunes frères et soeurs, de façon presque certaine, vous êtes peut-être devenu(e) une mère pour votre mère. Vous l'avez peut-être aidée à manger, à faire sa toilette, même à la mettre au lit de sorte que les plus jeunes ne la voient pas rouler par terre. Vous preniez soin de la famille toute entière.

Quand elle était sobre, votre mère tentait de combler ses lacunes, alors que la culpabilité s'emparait de vous. Il y a peut-être eu de longues périodes où elle repoussait son alcoolisme afin d'entretenir la maison. Quelle douleur c'était pour vous de la voir se livrer à un tel combat. Quel sentiment de gratitude, mais aussi de culpabilité vous ressentiez au fur et à mesure que votre confusion s'accentuait. Au juste, quel était votre rôle?

Si vos deux parents étaient alcooliques, la vie était encore moins prévisible, sauf qu'ils se partageaient, tour à tour, la déchéance. La maison était un véritable enfer. La tension était imminente, insupportable. Dans cet air vicié planait une sensation de colère. Personne n'en parlait — l'éloquence de la situation suffisait. Pourtant, il ne semblait y avoir aucune façon de s'en éloigner, aucun endroit où se cacher et vous vous posiez la question: «Y aura-t-il une fin?»

Vous avez probablement imaginé quitter le foyer, faire une fugue, en finir une fois pour toutes avec vos parents alcooliques, abandonner l'idée qu'un jour ils reprennent le chemin de la sobriété et que la vie redevienne belle. Vous avez commencé à vivre un conte de fées, imprégné de fantaisies et de rêves. Vous viviez dans «l'espoir», parce que vous refusiez de croire ce qui se produisait. Vous saviez que vous ne pouviez en parler avec vos amis, avec des adultes, à l'extérieur de votre famille. Puisque vous croyiez devoir cacher ces choses, vous avez appris aussi à cacher la plupart de vos autres sentiments. Il vous était impossible de faire part au monde de ce qui se produisait dans votre foyer. De toute façon, qui vous aurait cru?

Vous avez vu votre mère protéger votre père. Vous l'avez entendue l'excuser de sa maladie qui l'empêchait de se présenter au travail. Même lorsque vous lui faisiez part de quelque chose à propos de votre père, elle prétendait qu'il n'en était rien. Elle disait: «Oh, ne t'en fais pas. Finis tes céréales.» Vous avez donc appris à garder vos impressions sur l'alcoolisme de votre père, même si les crampes d'estomac s'emparaient de vous et qu'intérieurement vous étiez tendu(e) à l'extrême. Vous versiez des larmes très avant dans la nuit — lorsqu'il en restait à verser.

Pourtant vous saviez, d'ores et déjà, que vos rêves de quitter le foyer ou de vivre une existence normale dans une famille aimante ne se produiraient jamais. De toute façon il était déjà difficile pour vous de laisser vos parents derrière, même pour une fin de semaine. Si vous deviez vous absenter pendant une seule nuit, vous étiez inquiet de ce qui se passait à la maison: «Lorsque je quitte le foyer, j'ai l'impression d'abandonner le navire. Comment se débrouilleront-ils sans moi? Ils ont besoin de moi!» En fait, ils *avaient* besoin de vous. Sans vous, les membres de la famille seraient laissés à eux-mêmes et ce serait un désastre. Il n'y avait aucune issue. Vous étiez piégé. Vous étiez piégé physiquement et émotivement. Ces sentiments sont ceux de Marise dans le rêve suivant:

«Voici la description d'un rêve que j'ai fait quand j'avais environ huit ans. Il y a de cela près de 15 ans; néanmoins, il demeure, à ce jour, le plus frappant, le plus effrayant dont j'ai mémoire. Il s'est manifesté au cours d'une période de ma vie où l'alcoolisme de ma mère devenait «sérieux».

Le film de ce rêve se déroulait en blanc et noir. Une buée parsemée de plaques mi-nébuleuses, mi-translucides, couvrait tout. C'était pour moi une dimension étrange puisque, non seulement je faisais partie du rêve, mais je me voyais, comme on peut se voir à la télévision ou dans un film.

Ma mère et moi étions dans un endroit sombre et lugubre qui ressemblait à un donjon. Nous étions derrière des barreaux, comme dans une cage ou une prison. L'endroit était dépourvu de murs, de plancher, de plafond — seulement la cage, ma mère et moi-même dans ce vide obscur. Je me souviens avoir fait les cent pas; j'étais agitée, mais sans être apeurée. Tout à coup, de nulle part, une sentinelle apparut: une femme en uniforme. Elle s'approcha de la cage, déverrouilla la porte et libéra ma mère. Elle la prit par le bras et l'amena. Elle me laissa seule. J'attendis patiemment, avec la certitude que la sentinelle reviendrait me libérer. J'ai attendu et attendu pendant une période qui m'a semblé une éternité. Enfin, quelque chose s'est dessiné dans la noirceur. Je croyais que c'était la sentinelle qui se dirigeait vers moi. Il s'agissait plutôt d'une forme inhumaine, qui se déplaçait lentement devant la cage et se volatisait dans le vide — je demeurai seule. Il me vint à l'esprit que nul n'allait me libérer. J'étais affolée.

Je me suis réveillée terrifiée au-delà de la raison. Je me souviens m'être assise dans le lit en criant. Du moins je crois que je criais. J'exhalais l'air de mes poumons mais mes cordes vocales ne produisaient aucun son. Je pris donc une grande respiration sans plus de résultat. J'avais perdu la voix.

Je tentais d'appeler ma mère. Je sollicitais absolument sa présence auprès de moi, mais il lui était totalement impossible de m'entendre. Je me suis donc glissée sous les couvertures et j'ai prié qu'au matin ma voix me soit rendue. Je sombrai enfin dans le sommeil.»

Marise se sentait piégée et elle l'était. Elle était seule avec ses douleurs. Elle n'en fit part à personne et, chaque jour après l'école, elle rentrait directement à la maison afin de prendre soin de sa mère. Aussi douloureux que cela pouvait être, c'était plus facile pour elle d'être à l'école et inquiète. Nul ne s'en aperçut. Nul ne vit quoi que ce soit. Marise était une bonne enfant qui exécutait à la lettre ce qu'on lui demandait sans créer de problème.

L'école

Votre vie de famille était non seulement pitoyable, elle influençait aussi votre vie à l'école. Quel était votre taux de réussite? Si vous étiez comme Émilie, la performante par excellence, vous vous êtes bien tiré(e) d'affaire. Vous étiez là, à faire ce à quoi on s'attendait de vous. Vous obteniez de bonnes notes et faisiez l'objet de louanges. Peut-être étiez-vous l'élève qui avait le privilège de nettoyer le tableau. Et c'était, pour un temps, une évasion du foyer et de vos sentiments personnels. Nul n'aurait pensé que vous étiez un enfant affligé de sérieux problèmes. Peut-être même que les éducateurs disaient: «J'aimerais avoir un enfant comme cela à la maison.»

Mais si vous apparteniez à l'autre catégorie, votre rendement était loin d'être impeccable. Selon le degré d'intelligence que vous manifestiez et la façon efficace avec laquelle vous aviez appris à manipuler les gens, vous pouviez prévoir, jusqu'à un certain point, votre rendement à l'école. Vous obteniez peut-être de bonnes notes dans un sujet en particulier, au cours d'un semestre, et de très mauvaises dans un autre, jusqu'à ce que vous abandonniez totalement ou que vous trouviez une façon de passer sous le fil. Ou, comme Luc, vous tentiez de réussir par intimidation.

Malheureusement, vous adoptiez trop de caractéristiques de vos parents alcooliques. Les gens se comportent de la façon dont ils ont appris à se comporter, que cela leur plaise ou non —qu'ils le veuillent ou non. Les alcooliques ne prennent pas la responsabilité de leur comportement. Est-ce votre cas? C'était certes celui de Luc.

Luc, 17 ans, en est à ses dernières années au secondaire et il vit avec un père qui se rétablit de l'alcool. Au cours de ses années d'alcoolisme, donc la majeure partie de la vie de Luc, la vie de son père était ponctuée de controverses, parfois violentes. Invariablement, il obtenait ce qu'il voulait, parce que les autres avaient peur de lui.

Luc est venu me voir parce qu'il craignait de rater ses classes en sciences de la santé. Dans ce cas, il n'obtiendrait pas son diplôme. La raison de son échec imminent reposait, selon son professeur, sur le fait qu'il n'avait jamais participé aux cours.

Sa première réaction à la situation était la même que celle de son père lorsque celui-ci s'adonnait de façon active à l'alcool. «Il ne peut me faire cela. Il n'en a pas le droit. Pour qui se prend-il? Je vais le rapporter à la Commission scolaire. Je vais faire congédier ce bâtard.» Et ainsi de suite.

Je n'ai rien dit.

Ensuite, il tentait d'utiliser la tactique que son père utilisait au moment où il cessa de boire, bien qu'il était encore confus et malade. «Je sais ce que je vais faire. Je vais me rendre chez lui. Je vais me mettre à genoux devant lui. Je vais le supplier, l'implorer, je baiserai même sa bague.»

N'ayant suscité aucune réaction de ma part, il passa à la phase trois — celle qui devait m'indiquer qu'il avait travaillé longtemps et péniblement pour se corriger. «J'imagine que je devrai prendre un rendez-vous avec lui, m'asseoir et tenter de trouver une façon de reprendre le travail.»

Luc avait appris à accepter ses responsabilités pour son comportement. Il s'agissait là d'une dure leçon puisqu'elle ne provenait pas automatiquement de son expérience de vie. Les responsabilités devaient lui être enseignées.

S'il avait maintenu son ton belligérant, il aurait raté son examen sans comprendre pourquoi. Il aurait pu se considérer comme victime et blâmer les autres. L'enfant qui persiste dans ce comportement développe une attitude de plus en plus anti-sociale — il est apte à se retrouver dans une institution de correction. Ceux qui l'entourent jugent son comportement de façon sévère et il lui est impossible de comprendre puisqu'il n'a jamais connu les alternatives.

S'il s'était accroché à la phase deux, il aurait peut-être fini par réussir. L'escroc peut généralement s'en sauver pendant un certain temps. Et ça aussi, il l'a appris à la maison. Le comportement excessivement manipulateur de l'alcoolique est souvent récompensé par la réalisation des buts qu'il croit désirables. Cependant, la manipulation ne fonctionne pas définitivement; les gens cessent de se laisser berner et l'alcoolique se fait prendre. La même chose se produit pour l'enfant de l'alcoolique. Il s'en sauve — pendant un certain temps. Puisque la vision qu'il a de son sens du pouvoir est plustôt déformée, il ne sait plus ce qui lui est arrivé, lorsqu'il se fait prendre.

La troisième alternative est la plus désirable, puisqu'elle accordait à Luc la meilleure occasion de résoudre son problème de façon satisfaisante. Cela lui permettait d'être fier de sa personne, sans égard aux résultats. Si l'enseignant réalise un compromis, Luc aura son diplôme comme les autres. Si le compromis est irréalisable, il aura fait tout en son possible pour régler la situation et commencer à respecter l'être qu'il est.

Ce cas en particulier finit bien. Le professeur et Luc ont préparé un programme lui permettant de reprendre ses travaux et il a réussi à obtenir son diplôme.

L'incapacité de se concentrer à l'école constitue un autre problème. Bien souvent, vos pensées cheminaient directement vers vos fantaisies, élaborées pour embellir la vie ou pour s'en inquiéter. Que m'arrivera-t-il? Est-ce que tout se déroulera de façon ordonnée? Que se passera-t-il en arrivant à la maison? Il se peut qu'on vous ait réprimandé parce que vous regardiez par la fenêtre. L'enseignant avait dit: «Suzie rêvasse à longueur de journée. J'aimerais qu'elle soit plus attentive.»

Eh bien, si vous étiez Suzie, vous vouliez probablement être plus attentive — mais comment le pouviez-vous? Surtout si vous aviez passé la nuit à entendre vos parents se quereller. Comment pouviez-vous vous concentrer à l'école, après avoir été privée d'une bonne nuit de sommeil? Et de toute façon, qu'est-ce que tout cela aurait changé? Les choses étaient déjà tellement confuses. Qui s'en souciait? Qui se préoccupait de votre réussite ou de vos échecs? Dans le premier cas, ce n'était pas assez; dans l'autre, on vous injuriait. Mais tout cela c'est du passé — personne ne s'en est vraiment rendu compte. Si vous aviez besoin d'aide, vous saviez d'ores et déjà qu'il était préférable de ne pas en demander. On vous aurait peut-être fait une promesse, mais personne n'avait le temps de s'occuper de vous. Vous vous repliiez donc sur vous-même.

Et si, par chance, une personne sympathique, par exemple, un enseignant s'informait: «Quelque chose ne va pas, Bruno? Il me semble que quelque chose ne va pas» vous répondiez: «Non, tout va bien,» et vous vous éloigniez, en voulant, de façon désespérée, vous accrocher à cet enseignant et lui dire: «Oh mon Dieu, c'est terrible à la maison... je ne sais pas ce qui ne va pas, mais je sais qu'il y a quelque chose. De grâce, aidez-moi.» Mais vous saviez qu'on ne parlait pas de ces choses en-dehors du foyer. À ce moment, vous aviez peut-être espéré que l'enseignant vous retienne. Vous cherchiez quelqu'un qui vous comprendrait sans avoir à lui dire quoi que ce soit, sans croire réellement que quelqu'un pouvait vous aider.

Vous aviez appris à garder vos impressions, possiblement en les réfutant vous-même. L'école, qui aurait pu être un refuge, était devenue un enfer. Après un certain temps, votre comportement en a été affecté ou peut-être avez-vous décroché. Peut-être ... peut-être que quelqu'un y porterait attention. Lorsque les problèmes se manifestaient, vous étiez peut-être forcé de révéler la vérité.

Lorsque vous vous teniez à l'écart, vous saviez qu'on vous fouterait la paix, parce que vous étiez de nature calme et ne causiez aucun problème aux gens de votre entourage. Et plus vous vous adonniez à cette pratique, plus la solitude devenait lourde et plus il vous était difficile de faire autre chose. Le fait de devenir le bouffon de la classe, une distraction acceptée d'emblée par les étudiants, peut-être même par l'enseignant, pouvait fonctionner pendant un certain temps. De cette façon, vous attiriez l'attention — non pas celle que vous cherchiez, mais au moins, on ne vous ignorait pas.

Néanmoins, si vous cessiez de fréquenter l'école, si vous aviez des ennuis sérieux, quelqu'un porterait certes attention. Vous sollicitiez de l'aide de la seule façon que vous connaissiez. Ensuite, vous accepteriez la punition, mais au moins, quelqu'un vous aurait porté attention. Voilà ce qu'était l'école: une punition de plus, simplement un endroit où vous deviez être. Entre quelques moments de chance, cette dimension constituait un baume. Plus que tout, il s'agissait d'un labyrinthe *que vous deviez traverser.*

Les amis

Que dire des amis — les autres enfants de votre âge? Peut-être qu'en jouant avec eux, vous n'aviez pas l'impression de faire partie du groupe. Quel que fut votre niveau d'engagement, vous vous sentiez toujours un peu différent, sans appartenance — comme un intrus.

Pour quelques raisons, il vous était difficile de vous faire des amis. La première, vous aviez de la difficulté à croire que les gens vous aimaient vraiment. Après tout, ne vous avait-on pas rappelé à maintes occasions que vous n'étiez qu'un enfant moche? Sinon en paroles, vous saviez que c'était vrai, sinon, votre père ne serait pas obligé de boire. Et même si les sentiments chaleureux à votre égard étaient sincères, vous aviez peur de constater que si ces gens-là connaissaient votre existence personnelle, ils cesseraient de vous aimer.

Peut-être avez-vous eu l'occasion de bien connaître certains enfants. Mais là aussi, il y avait des problèmes. Combien de fois pouviez-vous accepter une invitation chez cet ami sans l'inviter chez vous? Vous viviez constamment avec la crainte de ce *jour redoutable*, où votre ami dirait: «Cet après-midi, allons jouer chez vous.» Vous ne pouviez aller chez votre ami qu'un certain nombre de fois avant d'être confronté à l'inévitable. Peut-être que ce n'était pas la peine d'avoir un ami.

Il est donc possible que vous vous éloigniez de vos amis, ou que votre comportement les incitait à s'éloigner de vous. De cette façon vous n'aviez pas à les affronter. Mais si vous preniez le risque de nouer une nouvelle amitié, vous étiez conscient du fait qu'un jour on découvrirait votre secret.

Au moment où une adolescente de seize ans fit la connaissance du frère plus âgé d'une amie, qu'elle avait connue lorsqu'elle était plus jeune, elle se retrouva devant de vieux souvenirs. Elle lui composa ce poème:

À l'être cher

Je te connais depuis longtemps,
Au moment où j'habitais l'enfer
créé spécialement pour les enfants.
Les murs de ta maison
constituaient mon seul salut.
Cependant — je suis convaincue
que tu ne le savais pas,
parce que je ne te connaissais pas vraiment.
Voici pourquoi je t'ai toujours connu,
mais que tu ne m'as jamais connue.
Tu ne m'as jamais connue — j'étais atrocement seule
aucun endroit où me réfugier
personne à qui me confier . . .
Plusieurs années ont passé.
Tu ne te souviens pas de m'avoir connue,
moi je m'en souviens.
J'avais besoin de me tenir debout, où tu étais —
à un endroit tellement différent du mien.

Cette famille représentait beaucoup pour la petite fille. Cependant, elle dut envisager l'événement tant redouté — il lui fallait inviter son amie chez elle. Lorsqu'elles arrivèrent, son père était ivre mort sur le plancher du salon. Afin de sauver les meubles, la mère inventa une histoire, «Oh, il couche souvent sur le plancher parce qu'il a des problèmes avec son dos et le docteur lui a dit que ce serait bon pour lui.» La jeune fille sembla accepter sa version mais elle n'est jamais revenue. Le risque était réel. Qu'il est difficile de se faire des amis!

Au fur et à mesure que vous grandissiez, cela devenait de plus en plus difficile, parce que vous en étiez rendu au point où vous ne saviez tout simplement pas comment vous faire des amis. «De quoi pourrais-je leur parler? Qui s'intéresserait à moi? Pourquoi m'aimerait-on? Je ne suis pas une bonne personne. Pourquoi voudrait-on de moi comme ami?» Devant toutes ces questions, comment peut-on se sentir spontané et libre? Comment peut-on se rapprocher des autres enfants?

Même si vous vouliez demeurer après les cours et jouer avec les autres enfants, ce n'était peut-être pas possible. Peut-être deviez-vous rentrer en vitesse à la maison parce que vous deviez prendre soin d'un petit frère ou d'une petite soeur. Peut-être étiez-vous inquiet(e) que votre mère soit ivre et que vous ayez à vous en occuper. Peut-être y pensiez-vous toute la journée et sentiez-vous le besoin de rentrer en vitesse afin de voir ce qui s'était produit. Dans ce monde étrange, vous ne cherchiez rien d'autre qu'une fuite, pourtant, vous deviez rentrer le plus rapidement possible.

Mais ce n'était pas votre vie, votre réalité. Ça ne semble pas très sensé, lorsque vous y pensez maintenant, mais ... à l'époque, c'était votre lot. Certains enfants vivent l'expérience d'un camp d'été. Ainsi, une jeune fille passa quelques jours dans une colonie de vacances pour Enfants d'alcooliques.

À son retour, elle éprouva le besoin de décrire ce qu'elle ressentait, parce que, bien qu'elle savait comment se comporter, elle avait traîné avec elle toute la confusion et toute l'inquiétude associées à un enfant qui vit avec l'alcoolisme. Personne ne s'en était aperçu, néanmoins, elle partagea ce sentiment avec moi dans le poème qui suit:

Colonie de vacances

Je ne veux pas être ici.
Je veux rentrer.
Je ne m'amuserai pas.
Je n'ai aucun ami ici
Et, personne ne m'aime.

Wow! j'ai eu du plaisir!
Et j'ai ri et j'ai souri,
Et je me sens passablement heureuse!
Peut-être que je ne serais pas si mauvaise après tout,
Mais, à bien y penser, je veux rentrer.

Je veux me promener en bateau une fois de plus!
Quand mangeons-nous?
Pourrions-nous faire une excursion?
Je veux encore aller à la pêche!
Un feu de camp!

Je ne comprends pas ces «réunions!»
Tout le monde répète ces choses horribles
Et je sais exactement ce qu'ils ressentent!
Est-ce qu'ils comprennent aussi ce que je ressens?
Wow, recommençons!
Non — elles m'endorment.

J'aime bien ma monitrice, aussi.
Elles sont toutes tellement gentilles.
Nous faisons ce que nous voulons
Et ça c'est SUPER!

Quoi! Nous rentrons à la maison demain?
Nous venons juste d'arriver, n'est-ce pas?
Va-t'en! Tu m'enrages!
T'es laid!
Et ta mère s'habille en folle!
Je te hais!

Wow, c'est vraiment le temps de rentrer au foyer.
Je ne sais pas ce que je ressens à propos de ceci.
J'espère pouvoir revenir l'an prochain.
Je ne veux pas retourner à la maison,
Je veux être ici!

Bien, j'imagine que venir ici n'a pas tellement
d'importance après tout,
Parce que de toute façon il faut éventuellement rentrer
Et revivre ce que j'avais laissé.

Que dire de votre impression de vous-même? Aviez-vous un degré élevé d'amour-propre? Vous accordiez-vous une certaine valeur? Vous sentiez-vous digne? Pensiez-vous à vous un peu?

Afin de mesurer son amour-propre, on a besoin d'un sens du «soi». En aviez-vous? Je ne suis pas sûre. Un enfant détermine ce qu'il est par ce qu'il perçoit des gens significatifs autour de lui. Au fur et à mesure qu'il progresse dans la vie, il décide de lui-même ou, en tout cas, il serait préférable qu'il le fasse. Mais, de prime abord, il découvre qui il est par ce que les gens lui disent et il intériorise ces messages.

Mais on reçoit beaucoup de messages doubles, certaines choses qui semblent se contredire entre elles. Vous n'aviez aucune façon de savoir ce qui était vrai, vous reteniez donc une partie et parfois l'autre. Vous n'étiez jamais sûr. Étrangement, ces deux messages contradictoires étaient probablement vrais et votre sens du *soi* devenait quelque peu nébuleux et devenait plus que difficile à interpréter. Il vous était difficile de déterminer qui vous étiez et si vous aimiez ou non une personne.

Par exemple, vous entendiez: «Je t'aime, va-t'en.» Qu'est-ce que cela voulait dire? Votre mère disait: «Je t'aime.» Vous entendiez et ressentiez le poids de ces mots tout en sachant que vous preniez de la place, qu'elle n'avait aucun temps à vous consacrer, que vous étiez loin de son centre d'intérêt. «Je t'aime, va-t'en.» Comment cela peut-il avoir un sens? Quelle partie croyiez-vous? S'il vous arrivait de croire les deux, vous étiez confus.

Si vous croyiez «Je t'aime» et que vous deviez vous éloigner, quelles étaient les conséquences? Si vous croyiez les deux parties, quelles étaient les implications au cours de votre croissance? Les gens qui disaient vous aimer et pourtant vous poussaient loin d'eux, étaient peut-être très désirables.

Que dire des doubles messages: «Tu ne peux rien faire de bien ... j'ai besoin de toi!» Le perfectionnisme de l'alcoolique critiquait tout ce que vous faisiez et vous obteniez la note «A» alors que vous cherchiez le «A+». Indépendamment des circonstances, ce n'était jamais suffisant; il y avait toujours une possibilité de trouver un défaut. Vous ne pouviez croire que vous étiez capable de faire quelque chose de bien, en dépit de tous vos efforts.

Mais l'autre partie du message: «Je t'aime, je ne peux me passer de toi» vous amenait à faire beaucoup de travaux dans la maison. À la fin, vous deveniez, jusqu'à un certain point, un appui émotif. Pourquoi avait-il besoin de vous, si vous ne pouviez faire quelque chose de bien? Ça vous semblait dépourvu de bon sens, mais vous saviez que c'était vrai, parce que la diffusion de ces deux messages était vive et précise.

Nous en venons maintenant au *plus grand* paradoxe. «On doit toujours dire la vérité» et «Je ne veux pas le savoir.» On vous a enseigné de toujours dire la vérité, parce que l'honnêteté constitue une grande valeur. Du reste, on vous disait que si quelque chose se produit et que vous avez été franc, vous aurez moins de problèmes. Vous vous en souvenez?

Vous ne pouviez jamais être assuré sur ce point, puisque parfois c'était vrai; parfois c'était faux. «Je ne veux pas le savoir» compliquait sûrement la question. Pourquoi les surcharger? Pourquoi surcharger un parent déjà accablé? Voilà une rationalisation merveilleuse pour quiconque réfute ses responsabilités. Quel enfant désire avouer une mauvaise action, spécialement lorsqu'un de ses parents est le parfait exemple d'un tel comportement?

Pourquoi leur donner d'autres raisons de s'inquiéter? Voilà qui représente un encouragement, tout au moins furtif. En peu de temps vous avez appris que «Toujours dire la vérité» est une notion à refiler à vos enfants, quoique la vérité signifiait peu dans votre maisonnée — vos parents mentaient tout le temps. Vous avez entendu votre parent non-alcoolique inventer des excuses pour votre parent alcoolique et cela vous semblait acceptable. Aussi, votre parent alcoolique faisait toujours des promesses qu'il ne tenait pas. Et pourtant il ne semblait pas mentir lorsqu'il promettait.

Dans votre foyer, la frontière entre le réel et l'irréel était quelque peu déformée. Donc, il y a peu d'avantages pour vous à dire la vérité. Alors, ce qui s'est passé, c'est que vous avez commencé à mentir de façon automatique. Et puisque vous n'aviez pas la sensation de mentir (tout le monde mentait), vous ne vous sentiez pas démesurément coupable. Vous vous êtes peut-être même laissé prendre au jeu en croyant que vous protégiez votre famille. «Ils se sentiront mieux s'ils croient que mon transport à la maison a été retardé,» que si vous leur admettez: «Nous nous sommes fait prendre à fumer un joint sur la rue et on nous a amenés au centre juvénile.»

«Je serai là pour t'aider» et «Je te donne ma parole, la prochaine fois...»: deux autres messages doubles. Votre parent alcoolique inventait toujours des promesses comme: «Samedi nous ferons ceci. Nous nous sortirons de cette situation. Tout redeviendra merveilleux. Ne t'en fais pas. Je t'achèterai la robe que tu désires. J'arriverai à temps pour le dîner. Ça me touche, ça m'intéresse, parlons-en un bon jour.» Finalement, ces choses ne se produisaient jamais. Que de mensonges!

Dans l'autre partie du message: «Je te donne ma parole, la prochaine fois ...» «Bien, ça n'a pas fonctionné cette fois-ci, mais je suis sûr que la prochaine fois ...», le désir d'obtenir des points pour l'intention et non pour le comportement devenait évident. Et qu'en avez-vous fait? Pas maintenant, plus tard! Le «plus tard» ne s'est jamais manifesté. Donc il y avait un troisième message: «Oublie tout.» Dès lors, vous appreniez comment ne pas désirer.

On passe ensuite au paradoxe de «Tout va bien, ne t'en fais pas.» L'autre partie du message que votre parent télégraphie est: «Comment puis-je traiter avec tout ce fouillis?» Un sentiment de désespoir, mais qui vous dit de ne pas vous en faire. «D'accord, d'accord, je ne m'en ferai pas.» Étrangement, ça n'a pas fonctionné de cette façon.

Le jugement porté sur un alcoolique constitue un autre message déroutant, parce qu'il ou elle est alcoolique, ainsi que le rejet d'un comportement inacceptable, pour la même raison.

«Jean est un soûlard,» avait été lancé avec mépris. Mais vous avez entendu: «Oui, il a brisé son verre, sans faire exprès, il était ivre.» Ça n'avait aucun sens. Il ne pouvait s'empêcher d'être ivre s'il était alcoolique, mais ce n'était pas acceptable pour lui de briser un verre.

Le comportement de l'alcoolique s'est trouvé expliqué et rejeté en raison de la maladie. Nul ne devait être dérangé de ce comportement, parce qu'il ou elle ne l'avait pas fait exprès.

Cette double norme était lourde de conséquences. Le message véritable était: «Si je suis un soûlard, je peux faire ce qui me plaît.» Non seulement l'alcoolisme servait d'échappatoire à l'alcoolique, mais vous avez probablement appris comment l'utiliser comme porte de sortie pour votre propre comportement. Par exemple: «Dis à ton enseignant que nous avons des problèmes de famille et il te pardonnera de ne pas avoir complété tes travaux. Ça fonctionne à chaque fois.»

Jane m'a été référée en raison de son propre problème d'alcool, elle a mis très peu de temps à m'assurer que sa vie avait été misérable en raison de l'alcoolisme de son père.

«Il est constamment sur mon dos. Il ne me lâche jamais.»

«Dites-moi, Jane, de quoi parlez-vous précisément?»

«Si je rentre après son «couvre-feu», il hurle. (Le «couvre-feu» de Jane, à quinze ans, était une heure trente.) Si j'oublie de lui dire «bonjour», il me tombe dessus.»

Ma réponse a été: «Jane, je bois peu, mais chez moi, ton «couvre-feu» serait vingt-trois heures et je ferais plus que hurler si tu entrais plus tard. Je m'attendrais aussi à ce que tu me dises 'bonjour', que ça te plaise ou non.»

Il est facile de comprendre qu'elle utilisait l'alcoolisme comme excuse pour se déchaîner. Ensuite, lorsque la réaction agressive de son père prouvait qu'il était une personne terrible, elle utilisait son comportement contre lui. Je n'ai pas été gentille envers Jane — je lui ai dit exactement ce que je la voyais faire et ce que j'en pensais. Je reconnaissais également les difficultés véritables dans sa vie.

La semaine suivante, lors de sa visite, je lui ai dit: «Je n'ai pas été tendre envers toi la semaine dernière; je suis surprise de te revoir.»

«Quand j'ai quitté votre bureau, la semaine dernière, j'étais mal à l'aise. Je savais donc que quelque chose fonctionnait» me dit-elle.

Comme elle ne cherchait pas vraiment à imposer son mauvais comportement, elle se sentit soulagée que quelqu'un lui reproche sa manigance. La crainte que sa mère avait d'aggraver la situation, en prenant position, avait laissé Jane confuse. Comme l'alcoolique, l'Enfant d'alcoolique doit, pour atteindre la maturité, être responsable de lui-même. Un des éléments dans la création d'un sens du *soi* repose sur la nécessité de rendre compte de nos actions. Il importe plus que l'on s'attarde à explorer ces intentions, ou ces manques d'intention. Nous sommes jugés en fonction de ce que nous faisons. Si l'on s'attribue des crédits pour les bonnes choses, il doit en être de même pour les mauvaises. La clé, c'est d'accepter la responsabilité de tout notre comportement.

Les messages doubles que vous avez reçus au cours de votre enfance vous ont amené à perdre la vision de vous-même. Où vous situez-vous dans ce mélange? Qui s'intéresse vraiment à votre bien-être? Ça ne semble pas être vos parents. Même si vous ne vous en rendez pas compte, l'image que vous vous faites de vous-même est confuse.

À la fin, vous savez cependant que vos parents vous aiment. Vous ne pouvez le prouver — vous le savez tout simplement! Ce seul fait vous permet de surmonter les difficultés de votre enfance et c'est là un composant majeur, que même l'alcoolisme ne peut annihiler. L'amour était peut-être déformé, mais il était réel ... c'est la réalité qui était tordue.

Donc, votre sens du *soi* a subi les mêmes conséquences. De ce fait, il existe un bon nombre d'aspects de la vie, de croissance et de richesses de la vie, que vous n'avez pas appris. Vous avez manqué les échanges entre parents et enfant du type: «Comment dois-je me prendre?» Et: «Qu'est-ce que je fais s'il me dit ceci?» «Qu'est-ce que je fais avec ce problème? Comment puis-je le résoudre?» Vos parents étaient absorbés à un tel point par la folie de l'alcoolisme qu'ils n'avaient jamais le temps ou l'énergie pour parler de ces problèmes avec vous.

Donc, il existe une grande quantité de choses qui ne vous sont pas familières voire même que vous ne connaissez tout simplement pas. Bien plus, vous ignorez l'existence de certaines choses; il vous est donc impossible de connaître les questions à poser.

Vous savez cependant que vous ne vous situez jamais confortablement dans un groupe, dans une situation, et vous ne pouvez comprendre pourquoi. Les autres se situent, se cadrent, alors que vous ne vous demandez jamais pourquoi.

Les sentiments de votre enfance, vos pensées, vos expériences et vos hypothèses demeurent en vous, sous une forme ou sous une autre, toute votre vie durant. L'adulte qui ne fait rien pour changer et reste attaché aux liens de ses parents, de son époux ou de son épouse, réagit au travail de la même façon qu'il le faisait à l'école, se sentant isolé en dépit de la présence de personnes autour de lui. Il craint même de laisser les autres le connaître.

Cet adulte augmente ses possibilités de devenir alcoolique, ou de marier une personne alcoolique, ou les deux, et de perpétuer un cycle vicieux.

CHAPITRE 2

Que vous arrive-t-il maintenant?

Un enfant grandit et devient «adulte». Nous savons tous ce que cela représente, jusqu'à ce qu'on nous demande de définir le mot. Lorsqu'on commence à chercher des réponses, nous sommes confus. Il m'est impossible de vous décrire ce qu'est un adulte. Vous devez le faire vous-même. Vous en êtes peut-être au point où vous devez rendre des comptes, et prendre la pleine responsabilité de vos actes. C'est peut-être à ce moment qu'on devient adulte — le moment où l'on prend charge de sa vie.

Pour les besoins de ce livre, nous parlons d'une personne qui a grandi et qui a atteint la majorité. Vous pouvez donc vous poser la question, même si vous avez grandi: «Jusqu'à quel point êtes-vous adulte?» Quel rôle vos antécédents ont-ils joué dans votre vie? Quels sont les segments de ces antécédents que vous avez pu utiliser à votre avantage et quels sont ceux qui ont pu vous barrer la route? Quelle est votre perspective de vous-même? Comment vous voyez-vous vraiment?

Vous êtes au centre d'une quantité impressionnante de questions, dont un bon nombre amène d'autres questions. Puisque vos fondations ont été ambiguës, vous avez toujours maintenu cet imposant cercle de questions. Il se peut que vous ne les connaissiez même pas, cependant, une chose est certaine: vous n'aviez pas beaucoup de réponses.

Regardons de plus près ce que vous êtes devenu(e) aujourd'hui sans tenter de présumer, au moment où vous analysez les caractéristiques, qu'il y ait d'autres preuves irréfutables de votre endommagement personnel. Si je vous connais aussi bien que je le crois, c'est précisément ce que vous ferez.

Cette liste ne résulte pas d'une étude scientifique. Il s'agit tout simplement de regroupements de déclarations formulées par des Enfants d'alcooliques. Ils sont d'accord que ces caractéristiques font partie de leur personnalité. Il se peut qu'elles ne vous concernent pas ou qu'elles ne vous soient applicables qu'à un certain degré. Ce n'est pas une tentative de vous étiqueter, mais la discussion qui suit ne fait rien d'autre et elle vous aidera quelque peu à comprendre vos réactions et vos comportements. C'est une façon de vous indiquer certains éléments qui vous ont porté à vous poser des questions sur votre santé émotive et sur les reliquats de votre enfance.

Il se peut que ce ne soit que les traces d'un enfant d'alcooliques. La forme peut être changée, mais la substance demeure la même. Dans ce contexte, on peut regarder les caractéristiques, commencer à les explorer et faire un effort pour changer les choses.

Considérons maintenant la valeur de ces caractéristiques, leur signification et leurs implications.

1. Les Enfants d'alcooliques se posent des questions sur la signification du mot «comportement normal».

Il ne faut pas surestimer la signification de cet énoncé puisque c'est leur caractéristique la plus profonde. Les Enfants d'alcooliques n'ont tout simplement aucune expérience de la «normalité». Bon nombre d'entre eux se joignent aux AA ou aux Al-Anon. Cela m'amuse toujours un peu de constater ce qui se produit au moment où ils arrivent à la deuxième étape: «Venus afin de croire qu'une puissance plus grande que nous pourrait rétablir notre santé mentale.» Ils y croient vraiment. Pour eux c'est la vérité même et cette démarche est considérablement importante et essentielle au rétablissement. Cependant, ils ignorent complètement la signification de ce mot. Ils regardent les choses qui leur semblent normales et ils essaient de les copier. Pourtant, aucune copie ne peut être normale ou non. Ils agissent donc comme s'ils se sentaient normaux, sans avoir une idée fondamentale leur permettant de venir à cette décision.

Cette situation ressemble beaucoup à ce que les homosexuels ressentent lorsqu'ils sortent de leur coquille. Après avoir passé leur vie à s'abriter afin de ne pas être découverts, ils souffrent d'une énorme confusion. Ils ont passé de longues années à tenter de deviner ce qu'ils ressentiraient s'ils étaient «straight», de façon à cacher certains faits à leur entourage.

Je ne trouve pas ce comportement bien différent de celui des Enfants d'alcooliques. Toute leur vie, ils tentent de deviner ce qui est approprié afin d'empêcher les autres de découvrir, qu'en fait, ils ne savent pas ce qu'ils font. Ils deviennent inquiets et confus devant des sujets qui n'inquiètent aucunement les autres. Ils n'ont pas la liberté de s'informer, alors ils n'ont jamais une image précise, mais ce qui est plus important, ils ne veulent pas passer pour stupides. Lorsque des gens comme moi disent: «La seule question stupide est celle que l'on ne pose jamais» ils ne disent rien ouvertement. Mais, ils se disent à eux-mêmes: «C'est ce qu'elle pense! Si seulement elle savait ...!»

Après tout, lorsque vous pensez à vos antécédents, comment pouvez-vous avoir une bonne compréhension de ce qui est normal? Votre vie de famille s'est partagée entre la démence légère et la bizarrerie de la situation.

Puisqu'il s'agissait là de la seule vie de famille que vous connaissiez, ce qui semblait «dément» ou «bizarre» vous semblait normal. Si par hasard il se présentait une journée que l'on aurait pu appeler «normale», elle n'était pas typique et probablement dépourvue de signification.

À part votre vie de tous les jours, un peu chaotique, vous viviez essentiellement dans le rêve. Vous viviez dans un monde bien à vous, que vous aviez créé, une dimension de ce que serait la vie SI ... Ce que serait votre foyer SI ... Ce que se-rait la relation entre vos parents SI ... Les choses qui seraient possibles pour vous SI ... Et vous avez érigé toute votre vie sur des choses qui étaient probablement impossibles. Les fantaisies irréalistes fondées sur ce que serait la vie si vos parents cessaient de boire vous ont probablement aidé à survivre tout en ajoutant la confusion.

Vous avez probablement regardé les émissions de télévision où l'on montrait des familles et avez cru que les gens vivaient vraiment de cette façon. Qu'en saviez-vous? Certains foyers que vous visitiez étaient différents du vôtre. Vos hôtes se présentaient de façon agréable. Même si ce n'était pas le cas, il vous était impossible de capter le sens de la vraie vie dans le foyer d'une autre personne, parce que vous n'en faisiez pas partie. Les enfants des foyers plus typiques savent que ces programmes ne reflètent aucunement la vie telle qu'elle est. Ils les interprètent comme des contes de fées qu'ils acceptent ou qu'ils rejettent en raison de la douceur et de la perfection, parce qu'ils savent que nul ne vit vraiment de cette façon et que les choses ne finissent pas *toujours* bien. Il devient très clair que vous êtes dépourvu de points de référence vous permettant de reconnaître un foyer normal. Il en est de même pour ce qu'il est bien de dire et de ressentir. Typiquement, il n'est pas toujours nécessaire d'être à son meilleur, de remettre en question ou de réprimer ses sentiments. En ce faisant, vous êtes devenu confus et bon nombre de situations dans votre passé ont contribué à vous faire chercher la signification du «normal».

Récemment, un garçon de treize ans m'était référé pour consultation. Son père et sa mère se rétablissaient de l'alcoolisme et les deux étaient des Enfants d'alcooliques. Comme l'adolescent éprouvait certaines difficultés à l'école, l'assistant principal conclut qu'il souffrait de sérieux problèmes émotifs et qu'une consultation s'imposait. Le fait que les deux parents étaient des Enfants d'alcooliques ne fournissait pas beaucoup d'information importante: ils ne savaient aucunement ce que c'était d'avoir treize ans. Je savais qu'ayant été des Enfants d'alcooliques, ils n'avaient jamais été des adolescents typiques de treize ans.

Avant de voir leur fils, je leur ai brossé un tableau représentant un jeune homme de treize ans vivant dans un foyer typique. Ils se sentirent grandement soulagés, parce que la description était celle de leur fils. Il n'est jamais facile de vivre avec un enfant normal de treize ans. Après avoir rencontré l'adolescent une ou deux fois, j'ai découvert avec plaisir qu'il n'avait rien du tout. Bien sûr, il manifestait certaines difficultés à l'école, il était très compétitif et un conflit de personnalité existait entre lui et le principal. Pourtant, il n'y avait aucune nécessité pour lui de consulter un thérapeute. Il n'y avait aucun malaise chez ce garçon qui ne disparaîtrait pas au moment de son prochain anniversaire de naissance.

La perturbation n'est pas exclusive au système de familles alcooliques. Les familles supposément «normales» ont aussi leur part de hauts et de bas. Les enfants qui vivent dans des familles «normales» peuvent souffrir de problèmes de comportement et être émotivement confus. Cela peut être dû en partie à la croissance, bien que certains éléments peuvent engendrer des difficultés plus sérieuses. La clé c'est de connaître la différence et, dans un foyer compliqué par l'alcool, il est plus difficile de séparer les choses de façon réaliste.

Si les parents n'avaient pas été Enfants d'alcooliques, ils auraient peut-être reconnu le comportement typique d'un adolescent. On doit cependant reconnaître leur grand souci de découvrir les faits. Mais il est un peu triste qu'ils n'aient pu reconnaître leur magnifique travail de parents... Ils élevaient un enfant très normal, en santé, qui traversait toutes les crises usuelles et normales d'un enfant de son âge. À cause de leur propre histoire, ils ne savaient tout simplement pas ce qui était «normal».

Voilà un exemple typique de ce que représente un Enfant d'alcooliques et l'influence sur les parents qui se demandent ce qui est «normal».

Voici comment une telle situation peut influencer une relation matrimoniale. Au moment où Beth et lui sont venus me voir, James s'était rétabli et était membre des AA depuis seize ans; Beth avait consacré la même période aux Al-Anon. Ils formaient un couple très uni qui avait travaillé très dur à se façonner une personnalité individuelle, une relation familiale dans leur mariage. Beth, qui était sur le point de subir une hystérectomie, considérait cette étape comme un point marquant dans sa vie. Elle avait passé toute sa vie à prendre soin de son mari, de ses six enfants et de la maison.

Elle voulait maintenant qu'on s'occupe d'elle. Elle voulait que ses enfants prennent soin d'elle; elle considérait que son mari devait laisser son travail, même s'il venait juste d'être nommé président de la compagnie. Elle lui demanda de s'occuper de ses enfants et de répondre à tous ses besoins émotifs et physiques. Elle voulait que la terre tourne pour elle — précisément — et elle voulait que tout son entourage s'y plaise.

James lui accorda tout son appui, tout son encouragement, mais elle n'était pas sûre qu'il était sincère. Lorsqu'ils sont venus me voir, ils n'étaient pas sur la même longueur d'ondes.

Je savais que James, en plus d'être alcoolique lui-même, était l'enfant de parents alcooliques, ce qui signifiait qu'il avait évolué dans un environnement où il n'était pas sûr de ses sentiments. Il ne savait jamais quelle réaction à une situation était la bonne. Il vivait dans un éternel bouleversement et je savais qu'il fallait définir les problèmes.

Je me suis donc tournée vers James et lui ai dit: «Si j'étais vous, je ressentirais une foule de choses en ce moment. Je voudrais accorder toute l'attention possible à mon épouse, parce qu'elle est importante pour moi. Je croirais qu'elle s'en fait énormément à propos de son hystérectomie, que des femmes, dans le monde entier, doivent subir une hystérectomie et bien qu'il s'agit là d'une grande opération, l'issue est rarement fatale et elle s'en fait beaucoup pour rien. Bon nombre d'épouses de mes amis ont subi le même sort et elles n'en ont pas fait un drame comme Beth. Si j'étais vous, je me ferais un devoir d'être là le plus possible, mais j'y penserais deux fois avant d'annuler un voyage d'affaires ou de quitter le bureau avant le temps, au moment où je dois voir à la réalisation de certains projets. Je songerais aussi aux difficultés que j'éprouve au bureau à m'inquiéter de la bonne marche de la maison, de l'entretien des enfants et à la fin, vous savez, je considérerais ce nouveau défi comme un lourd fardeau. J'aurais l'impression que nul ne pense à moi et que je dois m'oublier complètement, accepter tous ces rôles et en être heureux. J'éprouverais un certain ressentiment, sans pouvoir vraiment l'admettre, puisque je me trouverais mesquin d'éprouver ce sentiment envers la femme que j'aime, à un moment difficile de sa vie, où elle compte sur mon appui.»

Ma description était fondée sur les réactions typiques d'une telle situation. Bien que ces réactions étaient normales voire prévisibles, il ne le savait pas. Comme enfant, il n'avait eu le droit d'exprimer que les sentiments que sa mère jugeait acceptables. Graduellement, au fil des ans, il avait appris à emprisonner ses sentiments dans son for intérieur. C'était beaucoup plus satisfaisant que de subir la désapprobation de sa mère. Dans cette circonstance, puisqu'il jugeait ses sentiments inappropriés et qu'il voulait éloigner, à tout prix, la désapprobation de son épouse, il se repliait sur lui-même.

Il me fixa, bouche bée. Il avait certainement l'impression qu'il s'était complètement dévêtu, qu'il était complètement nu. Beth reprit: «Bien sûr que tu ressens toutes ces choses, James. J'en suis sûre. C'est précisément ce que je ressentais au moment où tu étais à l'hôpital la dernière fois et que j'ai pris soin de toi.»

On sentait la tension s'atténuer dans la pièce. Il se rendit compte que toutes les idées qu'il s'était faites de la situation étaient bien fondées, qu'elles étaient parfaitement naturelles et *normales*. Il venait de découvrir qu'en dépit de ce qu'il croyait, il n'était pas un vaurien qui n'aimait pas sa femme. Il fallait qu'on le lui dise.

Dès que j'ai appris qu'il était l'enfant d'un alcoolique, je n'ai eu aucune difficulté à viser avec précision la cause des problèmes de ce couple.

Beth recouvra la santé très rapidement et, peu après l'opération, elle reprit ses responsabilités et depuis, le mariage se porte bien. Elle comprend mieux le fait que James ne connaît tout simplement pas certaines choses et qu'il comprend que ses réactions ne sont pas si étranges après tout, surtout celles qu'il a appris à supprimer au cours de son enfance.

2. Les Enfants d'alcooliques éprouvent une certaine difficulté à piloter un projet et à le réaliser pleinement

J'avais choisi la procrastination comme sujet lors d'une réunion en soirée pour les Enfants d'alcooliques. Lorsque je leur ai demandé d'expliquer ce que le terme voulait dire, la première réponse fut «Je suis le plus grand adepte de la procrastination du monde» ou «Pour une raison inexplicable, je semble incapable de terminer ce que je commence». Lorsque je me suis adressée à des Enfants d'alcooliques, je leur ai demandé d'être un peu plus spécifiques, voici ce que j'ai entendu.

«Je comprends ce que vous voulez dire. Je vis cette situation présentement. J'ai eu des problèmes au travail en tentant d'organiser l'information et de l'écrire sur un bout de papier. J'éprouve une incroyable difficulté à déceler les faits et à les décrire. Je lutte maladroitement jusqu'à ce que quelqu'un me dise: «Veux-tu bien me dire ce que tu fabriques? Fais ceci et ceci ... et je veux ceci!» Et tout à coup, c'est évident et je me demande pourquoi je n'y avais pas pensé. Ça m'a fait peur. C'est mon travail et il est essentiel pour ce que je fais maintenant. Ça ne peut durer indéfiniment. Je ne veux pas être le nouvel employé pour le reste de ma vie — je suis inquiet.»

Amy s'exprima ainsi: «Lorsque je rédige une longue dissertation, je trébuche et je me demande ce qui se passe en moi. Je ne peux tout simplement pas mettre de l'ordre dans mes idées — j'ai tout le matériel nécessaire mais je ne peux l'imbriquer. J'ai beaucoup de difficultés à ne pas abandonner, même si je suis intéressée et que je veux me rendre jusqu'au bout. C'est une affreuse lutte.»

«Lorsque j'étais au collège, j'avais une abondance 'd'incomplets' qui se retrouvaient comme des 'F' sur mes relevés de notes. Pour les cours, je récoltais des A, mais les F me donnaient la nausée. J'ai peur parce que cette situation affecte aussi mon travail.»

Ces commentaires sont assez typiques et il n'est pas difficile de comprendre la raison de ces difficultés. Ces gens ne sont pas des adeptes de la procrastination dans le sens courant.

Dans un foyer alcoolique, il existe généralement une surabondance de promesses.

Le grand poste de prestige est toujours sur le point de se manifester. La réalisation commerciale du siècle va aboutir incessamment. Le travail qui doit être accompli à la maison le sera en un temps record. Le jouet qui doit être bricolé, la voiturette, la maison de poupée ... et ainsi de suite.

«Je vais faire ceci. Je vais faire cela.» Non seulement «ceci» ou «cela» ne se fait jamais mais l'alcoolique s'attribue le crédit d'avoir pensé à l'idée, même d'avoir eu l'intention de le faire. Et vous avez grandi dans cet environnement. Souvenez-vous des projets qui ont été repoussés quelque peu. La peinture du salon, par exemple. Souvenez-vous que l'alcoolique est sorti, s'est procuré la peinture, est revenu, a couvert tous les meubles de toile et ça lui a pris des années avant de finalement peindre les murs du salon. À moins, cependant, que votre mère, quelque peu désespérée, ait décidé de les peindre elle-même.

Il y a eu beaucoup de projets comme celui-là, beaucoup de merveilleuses idées, mais rien ne se réalisait ou, le cas échéant, il s'était passé tant de temps que vous aviez oublié le but original.

Qui prenait la peine de s'asseoir avec vous lorsque vous aviez une idée pour un projet et vous disait: «Voilà une bonne idée. Comment vas-tu t'y prendre pour la réaliser? Combien de temps y mettras-tu? Quelles sont les étapes?» Probablement personne. Vous souvenez-vous quand un de vos parents disait, «Quelle merveilleuse idée! Es-tu sûr que tu peux te rendre au bout? Peux-tu le morceler? Peux-tu le rendre maniable?» Probablement jamais.

Cela ne veut pas dire que *tous* les parents qui ne vivent pas l'alcoolisme enseignent à leurs enfants la façon de régler les problèmes, mais plutôt, je souligne que dans une famille fonctionnelle, un enfant peut compter sur un modèle de comportement et d'attitude. L'enfant observe le processus et peut même poser des questions. L'apprentissage est peut-être plus indirect que direct, mais il est néanmoins présent. Puisque votre expérience était tellement différente, je ne suis aucunement surprise que vous ayez un problème à suivre un projet, du début à la fin. Vous ne l'avez pas vu se manifester et vous ne savez même pas comment le réaliser. Le manque de connaissances n'est pas synonyme de procrastination.

Dans la dernière partie de ce livre, nous verrons comment vous pouvez changer ces choses alarmantes.

3. Les Enfants d'alcooliques mentent alors qu'il serait tout aussi facile de dire la vérité.

Le mensonge fait partie d'un système familial affligé par l'alcool. Il fait ouvertement partie de la mascarade, du déni de la cruelle réalité, de la dissimulation, des promesses brisées et de l'inconséquence. L'alcool se manifeste sous diverses façons et comporte un bon nombre d'implications. Bien que ce soit là une façon différente de mentir, selon les normes établies, c'est certainement un éloignement de la vérité.

Le mensonge le plus élémentaire se situe au niveau du déni familial devant le problème. Donc prétendre que tout va bien à la maison est un mensonge et la famille parle rarement et ouvertement de la vérité. Peut-être que dans le for intérieur d'un des membres de la famille, il existe une certaine reconnaissance de la vérité, mais aussi un acharnement à la nier.

Le mensonge suivant ne sert qu'à dissimuler le précédent. Le membre non alcoolique de la famille sert de paravent à l'alcoolique. Au cours de votre enfance, vous avez vu votre parent sobre cacher les problèmes du parent alcoolique. Vous l'avez entendu formuler des excuses au téléphone dans le but de justifier une tâche non accomplie ou un retard. C'était là une partie du mensonge que vous viviez.

Vous avez aussi entendu un bon nombre de promesses de votre parent alcoolique. Les promesses se sont aussi transformées en mensonges.

Le mensonge était devenu une norme dans votre foyer et faisait partie de votre apprentissage et de ce qui pouvait vous être utile. À certains moments, ces mensonges rendaient la vie plus confortable. Si vous mentiez quant à la réalisation de vos travaux, vous pouviez vous en sauver, pendant un certain temps, en feignant une certaine paresse. Si vous pouviez, en mentant, cacher la raison pour laquelle vous ne pouviez amener un ami à la maison, ou que vous rentriez en retard, vous pouviez détourner tout ce qui était désagréable et cela semblait arranger tout le monde.

Bien que votre famille vous enseignait que dire la vérité constituait une vertu, vous saviez que ce qu'ils affirmaient n'était pas totalement sincère. La vérité a éventuellement perdu sa signification.

Mentir devient une habitude. C'est l'essence même de l'énoncé «Les Enfants d'alcooliques mentent parce que c'est plus facile que de dire la vérité». Mais si vous avez grandi avec la croyance que mentir se manifeste naturellement, ce n'est peut-être pas aussi facile de dire la vérité.

Dans ce contexte, «Il serait tout aussi facile de dire la vérité» signifie que vous ne puisez aucune satisfaction réelle dans le mensonge.

Voici une série de commentaires formulés par des Enfants d'alcooliques inquiets de leur vie de mensonge. Vous vous reconnaîtrez possiblement, du moins, en partie.

Joan, une conseillère en orientation de 26 ans dont la mère était alcoolique, affirmait:

«Je me vois mentir et, à mi-chemin, je m'entends dire "Arrête! C'est un mensonge, ce n'est pas du tout comme ça. Recommençons depuis le début," mais je suis trop gênée pour le faire. Au cours de mon adolescence, je ne sais pas pourquoi je devais mentir, mais je sais tout simplement que je le faisais. J'inventais toutes sortes d'histoires afin qu'on porte attention à moi, je pense, et je pense que je suis mal à l'aise de constater que je ne me suis pas fait prendre, parce que si les gens avaient parlé et m'avaient écoutée et connue, ils se seraient rendu compte que c'était de la foutaise ... et que je mentais avec un certain talent. Parfois, je feignais la maladie au point de me rendre vraiment malade. J'étais même devenue une experte dans ce domaine. C'était tellement plus facile que de dire que je ne pouvais tout simplement pas faire ce que les autres faisaient. Je sentais qu'il leur était pénible de vouloir mais de ne pas pouvoir. Je perdais la face, cependant je détestais me retrouver dans cette situation. Il y avait toujours une certaine panique, une peur de me faire prendre. J'aurais peut-être même accepté de me faire prendre afin d'en finir avec cette charade, parce que je ne croyais pas pouvoir la maintenir. Je ne savais tout simplement pas comment y arriver et je repartais à inventer des choses. À ce point, la vie devient très compliquée. J'ai même ressenti le besoin de mettre fin à une amitié parce que je ne pouvais plus me souvenir des mensonges. Je veux cesser de mentir, je veux vraiment cesser. Lorsque je me retrouve au milieu d'un mensonge, j'ai peur à en mourir. Je voudrais tout simplement dire: «Un instant!», faire marche arrière et passer directement à la vérité. Je ne sais vraiment pas quoi faire. Lorsqu'il s'agit d'une toute petite chose, stupide, sans conséquence, je me sens un peu conasse.»

Jeff, ingénieur de 30 ans avec deux parents alcooliques réhabilités me confiait:

«Je me souviens d'une occasion où j'ai vraiment menti de façon magistrale, au moment d'une excursion dans les Montagnes Blanches avec quelques amis. Nous marchions d'une cabane à l'autre, dans la neige, sur un parcours de quelques milles. La température chuta soudainement et j'avais très très froid. J'avais sauté le petit déjeuner, nous étions à court de temps pour préparer nos effets, et je venais juste de manger quelques tablettes de chocolat, ou quelque chose du genre. Je me suis mis à courir afin de rattraper le groupe. Chemin faisant, nous nous sommes espacés. Le vent soufflait avec rage et il y avait beaucoup de neige. Je me suis mis à perdre mes distances avec les autres et à avoir le sentiment extrême qu'ils ne s'arrêteraient pas pour m'attendre, mais en même temps, j'étais frustré de ne pouvoir maintenir le pas avec eux. J'avais lu un livre sur l'hypothermie. Je savais ce qu'il fallait faire pour monter une mise en scène. J'ai ralenti la marche derrière eux, afin d'afficher des symptômes d'imprécision, je me suis donc éloigné du sentier. Au moment où ils se sont regroupés et se sont demandé où j'étais, nous avions gaspillé une bonne heure. Ils sont revenus vers moi et j'ai réagi aux méthodes qu'on utilise généralement pour soigner quelqu'un contre l'hypothermie. J'avais besoin de cette attention et j'imagine que j'en étais rendu au point où j'aurais fait à peu près n'importe quoi pour l'obtenir. On me laissait, je traînais derrière et personne ne s'en était aperçu. Nous étions en pleines montagnes et j'aurais pu geler de froid et avec ces idées que je me formulais, il était facile de suivre la progression. Alors voilà — je vais geler à mort. On verra bien de quelle façon vous réagirez lorsque je deviendrai victime de l'hypothermie.

En réalité, j'avais dépensé 200 $ pour de l'équipement sophistiqué et j'aurais pu dormir dans la neige pendant un mois sans geler. Mais, j'ai joué le jeu. J'avais peur de me faire prendre. Je savais ce que je devais faire, mais j'étais physiquement incapable d'accomplir les mêmes choses qu'eux.

Je savais, en grandissant, que la vérité n'avait aucune espèce d'importance. Je savais que lorsque mes parents avaient le vent dans les voiles, ce que l'on disait ou non importait peu.

Lorsque ma mère était ivre, elle vivait dans son petit monde et la conversation gravitait autour de l'époque des machines à laver ou des réfrigérateurs, ou quelque chose du genre. Je n'en faisais pas partie. Aucun commentaire comme 'Tes notes à l'école sont insuffisantes' ou autres trucs du genre — je n'étais tout simplement pas là.

C'était à peu près la même chose pour mon père. Il était tout aussi isolé. Donc, il n'y avait aucune vérité, aucun mensonge. On pouvait dire ce qu'on voulait, on pouvait danser nu avec une rose entre les dents, sans qu'il s'en rende compte.»

Steve, 36 ans, conseiller en alcoolisme avec deux parents alcooliques, nous fait part des faits suivants:

«Que dire du désir de survivre? Enfant, j'étais devenu un menteur accompli, surtout sur le choix des choses que j'allais dire. Lorsque mon père me posait une question, si je lui répondais directement, il critiquait toujours la réponse. J'ai donc cessé de lui répondre directement et je me suis rendu compte que ça fonctionnait très bien. Lorsqu'il critiquait la réponse indirecte, je pouvais rejeter ses remarques comme étant d'aucune valeur pratique, puisque, de toute façon, ce que je lui avais dit était faux. Au cours des années, j'ai maintenu le même jeu. Quatre-vingt-dix-huit pour cent des fois je suis honnête et j'ai une bonne réputation en ce sens, mais j'ai toujours conservé un 2 pour cent en réserve. Je pense que j'ai commencé à maintenir mes mensonges à un minimum avec les gens parce que je me suis retrouvé à un point où j'éprouvais beaucoup de difficulté à me rappeler ce que j'avais dit.

Il faut que je fasse une distinction entre mentir à propos de choses et mentir à propos de sentiments. Lorsqu'il s'agit de sentiments, il m'est très difficile d'être honnête, envers moi-même et envers les autres.

Dans ma famille, ma mère avait acquis la réputation d'être une menteuse pathologique, et j'imagine que, dans le but d'attirer l'attention, j'avais besoin d'exagérer les choses, je veux dire, surtout dans le but de m'attirer une certaine reconnaissance de la part de mes parents. Lorsque un ou l'autre était ivre ou les deux, il était facile de mentir et de se sauver d'à peu près tout. Par ailleurs, ils n'étaient pas très habiles à traiter les choses, de sorte que si je refilais une histoire, j'ai l'impression qu'ils la préféraient à la vérité. Ils ne voulaient pas en connaître davantage, pour autant que je n'étais pas arrêté ou que je ne les plaçais pas dans une situation embarrassante.

J'ai vite compris que dire la vérité était probablement la pire chose à faire. Mentir était bien et tout ce qu'il me fallait c'était la ruse me permettant de dissimuler les faits. J'ai rarement eu des problèmes, donc ma crédibilité a rarement été questionnée.»

Sandra, une jeune femme de 23 ans, avec deux parents alcooliques, nous dit ceci:

«Mentir est une chose que je ne tolère absolument pas chez les autres. Mon ex-mari m'a menti avant notre mariage et j'ai failli rompre les liens. Je me mens constamment et je ne sais pas pourquoi. Je fabrique une idée ou un concept et j'affirme que c'est ce que je ressens et que j'y crois au plus profond de moi-même. Quelque part, en cours de route, tout comme une gifle, je me dis: 'Tu n'y crois aucunement.' Pendant tout ce temps je me suis fait des idées et je peux encore le faire — me mentir — mais j'éprouve beaucoup de difficulté à mentir aux autres. C'est-à-dire, je refuse de mentir intentionnellement. Mais, si j'en arrive au point où je dois être trop honnête, il m'arrive de mettre fin à une amitié. Je m'éloigne lorsque cela devient difficile d'être honnête.

Il existe très peu de gens envers lesquels je suis honnête en ce qui a trait à mes sentiments. Intérieurement je peux être complètement brisée mais si quelqu'un me demande comment je vais, je réponds: 'Très bien'.

Dans mon travail je suis honnête, mais je ne partage rien, donc pourquoi être honnête? Chez les AA, je partage quelque peu, mais pas beaucoup. Lorsque je suis réellement honnête, les gens me regardent comme si j'étais étrange.

Je me considère honnête parce que j'étais la fille d'un ministre du culte et j'ai été élevée avec la maxime 'Point ne mentiras'. Et maintenant, quand j'y pense, je me rends compte que ma mère ne m'a jamais crue. Elle ne m'a jamais crue lorsque j'étais enfant et que je grandissais. Un bon jour j'ai couru de l'école jusqu'à la maison; les enfants me jetaient des cailloux. Rendue à la maison, j'en ai parlé à ma mère et elle m'a dit «C'est faux, tu me mens.» J'avais perdu le souffle, j'étais épuisée, les larmes glissaient le long de mes joues et elle refusait toujours de me croire. Cela se produisait souvent.

Un bon jour, des enfants m'ont traînée dans un escalier de briques, mon dos était couvert d'ecchymoses. Elle n'a pas voulu croire que cela s'était produit. Elle refusait de croire que des enfants auraient fait ça à sa fille. J'avais l'impression que je me frappais la tête contre un mur de pierre et que rien ne réussissait à passer. C'est probablement la raison qui me porte à être plus lente avec les choses que je partage maintenant. Je ne veux pas que l'on doute, lorsque je dis la vérité. Je refuse de prendre ce risque. Je préfère donc partager peu.»

Ces gens, en exprimant ce que signifie le mensonge dans leur vie, sont imprégnés d'un haut degré de conscience et d'honnêteté à toute épreuve lorsqu'il s'agit de révéler leurs difficultés à dire la vérité. Il s'agit là de la première étape dans le changement de cet aspect de leur personnalité. Si vous le désirez, vous pouvez changer aussi.

4. Les Enfants d'alcooliques se jugent impitoyablement.

Lorsque vous étiez enfant, il vous était impossible d'être à la hauteur de la situation. On vous critiquait constamment. Vous croyiez que votre famille se serait mieux arrangée sans vous, parce que vous étiez la cause des problèmes. On vous a peut-être critiqué pour des choses insensées. «Si tu n'étais pas un enfant si pourri, je ne serais pas obligé de boire.» Ça n'a aucun sens, mais si on entend une chose assez souvent, pendant une période de temps assez longue, on finit par y croire, il en résulte que dans son for intérieur on perçoit ces choses comme autant de sentiments personnels négatifs. Ils demeurent, même si personne n'en parle plus.

Puisqu'il n'y a aucune façon de rejoindre les normes de perfection que vous vous êtes créées depuis l'enfance, vous manquez toujours l'objectif que vous vous fixez. Comme enfant, quel que fut votre accomplissement, quels que fussent vos efforts, on vous demandait toujours d'essayer davantage. Lorsque vous obteniez un A, on vous rappelait que ça aurait dû être un A+. Ce n'était jamais assez. Un de mes clients m'a confié que sa mère exigeait tellement de lui que lorsqu'il fit son entraînement militaire, il trouvait le sergent mou. Donc, cette situation s'est intégrée à votre personnalité, à ce que vous êtes et, en partie, reflète la façon dont vous vous jugez. Les «doit» et les «doit pas» peuvent paralyser pendant un certain temps.

Un aspect de cette dimension se manifeste par la façon dont les gens peuvent maintenir avec succès une image personnelle négative même en présence de preuves contraires. C'est ainsi que cela fonctionne. Lorsque quelque chose ne va pas, c'est de votre faute. D'une façon ou d'une autre, vous auriez dû le faire autrement et les choses se seraient mieux déroulées. Tout ce qui est bien, qui fonctionne bien, doit essentiellement émaner d'une autre personne. De toute façon, cela devait se produire. Ou, lorsqu'il était évident que vous étiez responsable d'un dénouement positif, vous l'éloigniez du revers de la main en disant: «Oh! c'était facile. C'était sans conséquence.»

Il ne s'agit pas d'humilité mais plutôt d'une distorsion de la vérité. Il semble plus prudent de maintenir une image de soi négative puisque vous y êtes habitué. Le fait d'accepter des louanges parce que vous avez été compétent veut dire changer votre façon de vous voir, ce qui vous permet de vous juger avec un peu plus de douceur — et d'accepter plus facilement en di-sant: «J'ai commis cette erreur, cependant, je ne suis pas une erreur.»

Un exemple du type de jugement automatique que j'entends fréquemment trouve toute son ampleur dans la déclaration d'Édith. Elle m'a fait part de son opération, et en revenant à la maison elle appela sa mère afin qu'elle vienne prendre soin d'elle.

«D'accord, c'est moi qui ai subi une intervention chirurgicale, et voilà que ma mère se met à attaquer tous mes amis au moment où ils franchissent la porte pour me rendre visite. Elle a eu une engueulade royale avec une de mes amies et en est presque venue à lui tirer les cheveux; mon amie en a fait autant. À la fin de la soirée, je prenais soin de ma mère. C'est moi qui offrais une bonne tasse de thé chaud afin de la calmer tandis que tout ce dont j'avais besoin c'était d'un peu de thé, d'amour et de sympathie. Mais je sais que la seule raison qui m'a portée à me fâcher contre ma mère c'était parce qu'elle ne me soignait pas à *ma* façon. Elle ne s'acquittait pas de sa tâche de la façon dont je voulais qu'elle le fasse et j'étais très égoïste.

74

Ellen admit avoir eu tort parce qu'elle voulait que les choses soient faites à sa manière. Elle se jugeait sous prétexte qu'elle n'était pas bien et qu'elle voulait qu'on s'occupe d'elle.

Elle me confia: «Je fais toujours cela. C'est une des dimensions les plus fortes de ma personnalité. C'est que je juge tout ce que je fais, partiellement parce que, pour moi, tout est blanc et noir. C'est soit tout mauvais ou tout bon. Il n'y a pas de juste milieu. La plupart des choses que je me vois accomplir sont mauvaises, même si intellectuellement je sens qu'il y a du bon, émotivement je n'y peux rien.»

La sensation d'Édith est assez typique. J'ai travaillé avec une autre cliente sur l'aspect des «devrait». Elle en était rendue au point où elle était complètement immobilisée et je lui ai demandé de dresser une liste de tous les «devrait» qu'elle s'accordait dans une journée. La liste était énorme. Lorsqu'elle pouvait la regarder objectivement, elle riait et ajoutait: «Il faut que je cesse de me juger. Je ne me jugerai plus, même si j'ai entièrement tort.»

Se juger négativement est l'une des choses que l'on fait le mieux, parce que c'est enraciné dans notre personnalité. Il se peut même qu'à l'occasion, on éprouve un certain plaisir, un certain confort.

Les Enfants d'alcooliques que je connais et qui se sont joints aux AA et aux Al-Anon ne peuvent tout simplement pas attendre de rejoindre la quatrième ou la cinquième étape. La quatrième étape étant de «Faire un inventaire moral profond et sans appréhension de soi.» La cinquième étape est «Admettre à Dieu, à soi et à un autre humain la nature exacte de ses torts.»

Lorsque je les vois procéder à ces étapes peu après leur adhésion au programme, je sais ce qu'ils feront. Ils interprètent les étapes quatre et cinq comme une excellente occasion de se punir, de s'en prendre à eux. Ils se jugent en fonction des caractéristiques qu'ils ignoraient connaître. Toutes ces caractéristiques sont négatives. Il n'existe jamais une caractéristique positive dans tout cela. Cela n'a jamais été utilisé de façon positive. Ils s'y adaptent comme un canard dans un étang. Donc, l'idée de se flageller devant quelqu'un leur semble absolument irrésistible.

Si je suggère que possiblement une série de consultations constitue une forme d'inventaire moral, elle pourrait se faire, en bonne et due forme, un peu plus tard, ça n'a aucune importance. Il n'existe aucune façon de les retenir. Je formule un avertissement qu'ils sont sur le point de s'en payer toute une. Ils vont le faire de toute façon, ils vont en revenir, et c'est là que je ramasse les pièces et nous continuons à partir de ce point. Un peu plus tard, ils refont les étapes quatre et cinq avec plus de succès. Mais au début, c'est une excellente occasion de se punir.

Votre jugement envers les autres n'est pas la moitié aussi cruelle que votre jugement sur vous-même, même s'il vous est difficile de concevoir le comportement des autres en termes de «continu». Noir ou blanc, bon ou mauvais, voilà essentiellement comment vous voyez les choses. D'un côté comme de l'autre, cela constitue une responsabilité terrifiante. Vous savez ce que l'on ressent lorsqu'on est mauvais et comment ces sensations nous font bien agir. Ensuite, lorsqu'on est bon, il y a toujours le risque que ça ne dure pas. Donc, d'une façon ou d'une autre, on s'expose. Quoiqu'il arrive, on ressent une énorme tension en tout temps. Que la vie est difficile et stressante; qu'il est difficile de s'installer confortablement, de relaxer et de dire: «C'est bien d'être ce que je suis.»

5. Les Enfants d'alcooliques éprouvent beaucoup de difficulté à s'amuser.

et

6. Les Enfants d'alcooliques se prennent très au sérieux.

Ces deux caractéristiques sont étroitement liées. Si vous éprouvez une certaine difficulté à vous amuser, vous vous prenez probablement au sérieux sinon, les chances sont que vous avez du plaisir dans la vie.

Une fois de plus, afin de comprendre ce problème, vous avez passé en revue votre enfance. Était-elle vraiment amusante? Il n'est pas nécessaire de répondre à cette question. Les Enfants d'alcooliques n'ont tout simplement pas beaucoup de plaisir. L'enfant d'un alcoolique décrivait cela comme «traumatisme chronique». Vous entendiez rarement vos parents rire ou s'amuser. La vie était une entreprise sérieuse et fâchante. Vous n'avez jamais réellement appris à vous amuser avec les autres enfants. Vous pouviez vous joindre à certains des jeux, mais étiez-vous capables de vous abandonner et de vous amuser? Si vous le faisiez, vous perdiez tout encouragement. Le climat familial étouffait cette dimension de plaisir. Éventuellement, vous suiviez les autres. S'amuser n'était tout simplement pas amusant et il n'y avait aucune place pour cette activi-té dans votre maison. Ce n'était pas une idée pratique et vous l'avez abandonnée. L'enfant intérieurement spontané était anéanti.

L'été dernier, à un camp d'enfants de parents alcooliques, les membres du personnel, des Enfants d'alcooliques devenus adultes, jouaient probablement pour la première fois de leur vie. «Le seul autre camp que j'ai connu était au Vietnam» de dire l'un des moniteurs. D'autres affirmaient que c'était la première fois qu'ils avaient lancé un Frisbee. Ils devenaient enfantins en ce sens qu'ils s'amusaient et que pour eux, c'était une toute nouvelle expérience.

Donc, il n'est pas surprenant que vous n'ayez pas de plaisir. Vous êtes probablement même en désaccord avec ceux qui font des niaiseries, en vous disant: «Regarde-le donc, il fait un fou de lui-même.» Mais, quelque part dans votre for intérieur, vous aimeriez en faire autant.

À la Rutgers University Summer School for Alcohol Studies (Session d'été de l'Université Rutgers pour les études sur l'alcool), certains d'entre nous lancions la balle pendant que d'autres nous surveillaient. Des Enfants d'alcooliques m'ont confié plus tard qu'ils auraient vraiment aimé se joindre à nous. «Je voulais tant me joindre à vous mais je ne pouvais me résoudre à le faire. Je ne voulais pas passer pour un idiot.»

L'enfant spontané qui a été anéanti, il y a tant d'années, combat pour s'en sortir. La tension, une fois devenu adulte, contribue à maintenir la répression de l'enfance. Il reste en guerre avec lui-même. Mais la crainte de l'inconnu l'emporte. Après tout, qu'arriverait-il à cet enfant si un jour il obtenait sa liberté? Et qu'est-ce que cela signifierait? Donc, l'être humain rationalise.

S'amuser, lâcher son fou, agir comme un enfant est malsain. Il n'est pas surprenant qu'un Enfant d'alcoolique, devenu adulte, éprouve beaucoup de difficulté à avoir du plaisir. La vie est beaucoup trop sérieuse.

Vous éprouvez aussi beaucoup de difficulté à vous séparer de votre travail, vous vous prenez donc au sérieux dans toute tâche qui vous est confiée. Vous pouvez prendre le travail au sérieux, mais non vous-même. Vous êtes donc un candidat tout désigné pour vous user, à force de travail.

Un soir, en parlant de son travail, Abby s'est tournée vers moi avec un visage grimaçant de colère: «Tu me portes à rire de moi-même, mais je veux que tu saches que je ne trouve pas ça drôle du tout.»

7. Les Enfants d'alcooliques éprouvent de la difficulté à créer une relation intime.

Les Enfants d'alcooliques désirent grandement établir une relation intime saine, ce qui leur est difficile à réaliser pour plusieurs raisons.

La première et la plus évidente provient du fait qu'ils sont dépourvus d'un point de référence propice à une relation intime, tout simplement parce qu'ils n'en ont jamais connu aucune. Leurs parents constituent leur seule référence de liaison, qui a été, comme on le sait, des plus malsaines.

Ils portent aussi en eux l'expérience de «approche» — «va-t'en»: l'instabilité d'une relation parent-aimant-enfant. Ces gens se sentent aimés un jour, rejetés le lendemain. La crainte d'être abandonnés représente pour eux une peur terrible qu'ils conservent en grandissant. Si cette crainte n'est pas envahissante, elle constitue certes un empêchement. N'ayant jamais vécu l'expérience d'une relation logique, suivie, saine et intime à tous les jours avec une autre personne complique les possibilités d'en créer une et peut même rendre l'expérience douloureuse et compliquée.

La dimension pousse-tire, l'approche-rejet, les «Je te désire — va-t'en», la terreur immense de la proximité, pourtant le désir et le besoin de cet état de chose est magistralement reproduit dans un poème de John Gould.

POURQUOI ES-TU PRÈS DE MOI?

Je ne te désire point.
Je n'ai point besoin de toi.
Je n'ai point besoin de te voir.
Pourtant, tu reviens toujours.
Je ne te comprends pas.
Une jolie fille comme toi
Devrait pouvoir trouver
Quelqu'un d'autre.
Je te rejette et
Tu ne cesses
De revenir.
Partout où je regarde,
Je te vois.
Tu prends tout simplement
Une trop grande partie
De mon temps.
Pourquoi es-tu près de moi?
Pourquoi ne pars-tu pas?
Tu es?
Bon!
Que voulais-tu
Avec un gars comme moi?
L'amour.
Je t'en prie, reviens.
Elle est partie.

Les lignes qui suivent illustrent le même conflit. Yves vivait l'une de ses premières relations et il décrit ce qui s'est passé.

«La semaine dernière, Julie m'a apporté des fruits. J'aime bien le Hawaiian Punch. Elle avait prélevé certaines étiquettes des cannettes, les avait placées sur les fruits et me les avaient présentées. J'avais le goût de pleurer. Elle croyait que mon alimentation n'était pas suffisante, ou quelque chose du genre, et elle décida de m'apporter des choses saines. Non seulement cela, mais elle avait collé aussi ces petites étiquettes sur les fruits.»

C'était tellement important pour lui qu'il avait le goût de pleurer mais il lui fallait trouver une façon de se retenir. «Pousse», «tire»: le combat interne se répète et se répète.

Maude en parle d'une autre façon. Elle vit les mêmes confusions, en tant qu'adulte, en raison de ses expériences passées.

«C'est tellement plus facile de faire face aux émotions profondes et négatives qui me concernent, surtout en ce qui concerne mes relations avec les hommes. Je rejetais quiconque était prêt à m'aimer. J'ai l'impression que la seule façon pour moi de tomber en amour avec quelqu'un c'est qu'il soit absolument parfait et qu'il entre au moment où il existe une relation automatique et instantanée. Sinon, je n'en veux pas du tout. Je m'intéresse à une personne, je fais les premiers pas et dès qu'il s'intéresse à moi, je décroche. C'est tout simplement parti. C'en est rendu au point où la plupart du temps je ne me donne plus la peine, parce que je sais ce que je vais faire de toute façon, alors pourquoi s'en donner la peine? Je ne suis pas sûre si j'ai peur d'aimer ou si j'ai peur d'être aimée. La seule chose qui me vient à l'idée c'est d'avoir peur de ne pas savoir que l'amour est réel, en le perdant.»

Ainsi, la crainte de l'abandon entre en conflit avec le développement d'une relation. La progression de toute relation saine demande de donner et de recevoir beaucoup en plus d'être capable de régler ses problèmes. Il y a toujours certains désaccords et certaines colères qu'un couple peut résoudre. Un petit désaccord devient très gros, très rapidement pour un

Enfant d'alcoolique(s) puisque la question d'abandon passe toujours avant la question originale.

Maude est profondément affectée par le sujet d'abandon.

«Lors d'une relation, je prends tout très sérieusement. Lorsque je ressens qu'on ne me traite pas de la bonne façon, je réagis avec colère et panique et 'Oh, mon Dieu!' Je deviens tendue, je dis des choses et je réagis avec colère, mais je sais que les hommes n'auront pas le goût de faire un bout de chemin avec moi. Pour une raison ou une autre, je n'en vaux pas la peine. Je les vois toujours comme des gens bien. Même si je me sens digne d'eux, ils partent de toute façon et je ne peux rien faire pour les retenir, bien que je m'entende toujours dire: 'Ne me quitte pas.'»

Nancy partage les mêmes sentiments.

«J'ai une véritable réaction de panique lorsque quelqu'un se fâche contre moi. Cette sensation est tellement intense que je ne sais jamais quoi faire. Dans le cas de petits désaccords, la crainte devient énorme et j'imagine que j'aimerais connaître la façon dont les gens traitent le rejet, parce que pour moi ça devient beaucoup plus qu'une question d'abandon.»

Avec cette crainte, on perd confiance en soi, on n'est plus bien dans sa peau — on ne croit plus être aimable et on se tourne vers d'autres humains qui cherchent ce que l'on ne peut offrir soi-même, afin de se sentir bien. Cette sensation, on l'obtient lorsqu'une autre personne nous l'affirme. Il va sans dire que l'on abandonne ainsi beaucoup de puissance. Dans une relation, on accorde à l'autre personne le pouvoir de nous élever ou de nous abaisser. On vit une merveilleuse relation si elle nous traite bien et nous dit qu'on est superbe mais dans le cas contraire, ces sensations ne nous appartiennent plus.

Certains exemples limpides d'une telle dimension ont fait surface au moment de la réunion d'un groupe d'enfants d'alcooliques que je présidais.

Michel prit la parole:

«J'ai peur du rejet, je dépends beaucoup des autres. Au moment où je suis avec le groupe, je cherche des louanges de la part de Jan. Je sais que c'est niais. Ce serait bien mais je préférerais ne pas avoir ce besoin. J'aimerais me sevrer de ce besoin de rechercher constamment l'approbation pour tout ce que je fais. C'est un malaise qui demande beaucoup de mon temps. Je recherche constamment un auditoire.»

Raymond était d'accord avec lui.

«C'est une chose à laquelle j'ai pensé, moi aussi. Je me pose la question sur les gens devant un auditoire qui sont d'accord avec ceux et celles qui tentent de se réunir, de travailler ensemble afin de renaître et je sais qu'une telle démarche engendre certaines approbations. Il m'est venu à l'esprit que peut-être, parfois, ce que je fais en devenant un membre du groupe est peut-être une façon très raffinée d'obtenir cette approbation.»

Ces craintes énormes d'abandon ou de rejet éliminent toute facilité dans le processus d'élaboration d'une relation. En plus du sens d'urgence qui se manifeste: «C'est la seule chance que j'ai; si je ne le fais pas maintenant, ça ne se reproduira jamais,» et cela tend à peser sur la relation et rend beaucoup plus difficile la lente évolution nécessaire qui permet à deux personnes de mieux se connaître et d'explorer les sentiments et les aptitudes de chacun, de diverses manières.

Ce sentiment d'urgence porte l'autre personne à se sentir étouffée, même si ce n'est pas là l'intention. Je connais un couple qui partage un problème énorme parce qu'à chaque fois qu'ils se querellent, elle s'inquiète à penser qu'il pourrait la laisser. Elle doit constamment être rassurée, au milieu de l'argument, qu'il n'a pas l'intention de la laisser et qu'il l'aime toujours. Lorsqu'il est en conflit, une situation aussi difficile pour lui, il a tendance à vouloir se retirer et être seul. Il va sans dire que cela rend la question plus difficile à résoudre que le problème même, à la base de la confrontation.

Le manque de sécurité, la difficulté à faire confiance ainsi que les questions visant à déterminer la possibilité d'être blessé ne sont pas exclusives aux Enfants d'alcooliques. Il s'agit là d'un problème vécu par la plupart des gens. Très peu de personnes s'installent dans une relation avec la pleine confiance que les choses fonctionneront de la façon qu'elles avaient espéré. Cette union se fait, mais avec une variété de craintes.

Donc, les choses qui vous portent à vous inquiéter ne sont pas uniques à votre personnalité. C'est simplement une question de degré: votre situation d'Enfant d'alcoolique fait que les difficultés ordinaires deviennent plus intenses.

Les Enfants d'alcooliques ne semblent pas avoir plus ou moins de problèmes sexuels que la population en général.

Après avoir parlé à un bon nombre d'Enfants d'alcooliques sur leur sexualité, j'ai découvert que leur conversation, leurs attitudes et leurs sentiments n'étaient aucunement différents des autres. Les accrochages chez certains se rapprochaient beaucoup plus de la religion et de la culture que de ce qui se passait à la maison.

Ce qui ne veut pas dire qu'il ne se passait pas des choses assez bizarres chez eux. Cela veut dire que ce qui se passait chez les alcooliques n'était pas plus ni moins bizarre que ce que j'ai pu voir dans d'autres foyers.

Les professionnels dans le domaine de l'alcool regardent maintenant de plus près le problème d'inceste. Nous tentons vraiment de comprendre ce phénomène de façon à pouvoir effectuer les changements sains chez nos clients. Je doute fort que les alcooliques soient plus coupables d'inceste que tout autre groupe. Il se peut que le problème se manifeste plus souvent lorsque l'adulte est ivre que lorsqu'il est à jeun, mais nous parlons ici d'alcooliques, et non de quelqu'un qui n'en souffre pas.

En ce qui a trait au sexe en général, les enfants d'alcooliques ont été incapables de s'asseoir avec leurs parents et d'en parler. Cependant, je ne crois pas que cette situation leur soit exclusive. Parler de sexualité est difficile pour les gens, qu'ils vivent ou non avec l'alcoolisme. D'une certaine façon, il est plus facile d'excuser la sexualité au sein d'un système de familles alcooliques. Lorsqu'on est trop emprisonné dans une cage d'écureuil pour parler de quoi que ce soit, le sexe ou autre chose ne fait pas de différence.

Nous savons tous que la relation sexuelle des parents s'effondre, comme toute autre forme de communication. Nous savons de plus que l'offre et le retrait du sexe devient une arme et que l'expérience est malsaine entre deux partenaires comme toutes les autres situations qui les entourent. Je sais qu'on utilise le sexe comme défense dans des foyers non touchés par l'alcoolisme.

Je ne prétends pas que les Enfants d'alcooliques ont nécessairement une bonne attitude sexuelle, mais je ne prétends pas le contraire non plus. J'ai découvert par expérience que les

Enfants d'alcooliques n'ont ni plus ni moins de problèmes avec leur sexualité que toute autre personne.

8. Les Enfants d'alcooliques réagissent avec excès devant tout changement qu'ils ne peuvent contrôler.

C'est très simple à comprendre. Le jeune enfant d'un alcoolique n'était jamais en position de contrôle. La vie d'un alcoolique lui était imposée, tout comme son environnement.

Afin de survivre au moment où il grandissait, il lui fallait renverser la vapeur. Il devait prendre charge de son environnement. Ce changement était très important et il l'est toujours. L'enfant d'un alcoolique apprend à se fier à lui-même plus que tout autre, lorsqu'il lui est impossible de dépendre du jugement d'une autre personne.

Comme lui, on vous accuse souvent de tout vouloir contrôler, de manquer de flexibilité et de spontanéité et c'est probablement vrai. Ça ne vient pas du fait que vous voulez toujours faire à votre tête et ce n'est pas parce que vous êtes gâté(e) et que vous refusez d'écouter les idées des autres. Ce raisonnement provient de la crainte que si vous n'êtes pas en position de contrôle et qu'un changement se manifeste de façon abrupte, rapide, sans que vous puissiez y participer, vous perdrez le contrôle de votre vie.

Il n'y a pas de doute qu'il s'agit là d'une réaction excessive et cela signifie généralement qu'elle provient du passé de la personne touchée. À ce moment, la chose qui vous a fait réagir semble peut-être insensée aux autres, mais il s'agissait d'une réaction automatique. «Tu ne peux pas me faire ça. Non, je n'irai pas voir un film lorsque nous avions bel et bien décidé d'aller patiner.» C'est presque un réflexe involontaire.

Plus tard, lorsque vous pensez à vos réactions et à votre comportement, vous vous croyez un peu idiot(e), mais sur le moment, vous étiez tout simplement incapable de faire autrement.

9. Les Enfants d'alcooliques recherchent constamment l'approbation et l'affirmation.

Des yeux qui cherchent,
Scrutant tous les recoins de la pièce
en fractions de seconde —
Des arcades sourcilières
qui s'avancent lentement sur le front;
des doigts élancés, quelque peu incertains
examinent l'air autour d'elle —
apaisant son esprit confus
sur la vérité de son existence;
Se voyant dans le miroir de l'esprit des autres,
Elle croit peu à sa propre image —
acceptant son existence comme un reflet
que la brume dissipe rarement,
le miroir est un verre
et son âme est mise à nue
Sait-elle qu'elle s'appartient —
Vraiment.

— MARYA DEPINTO

Nous parlons de points externes et internes de contrôle. Lorsqu'un enfant naît, l'environnement dicte essentiellement la façon dont il se sentira envers lui-même. L'école, l'église et les gens autour de lui ont tous une influence, mais la plus grande lui vient des «personnes importantes». Dans le monde de l'enfant, ce sont ses parents. Donc l'enfant commence à croire ce qu'il est, à partir des messages qu'il reçoit de ses parents.

En grandissant, ces messages s'installent en lui et contribuent grandement à créer l'image qu'il se fait de lui-même. Le mouvement penche vers le point de contrôle.

Le message que vous avez reçu comme enfant était très confus. Ce n'était pas de l'amour sans condition. Ce n'était pas du genre: «Je pense que *tu es* formidable, mais je ne suis pas vraiment fier de ce que tu viens de faire.» Les définitions n'étaient pas claires et les messages étaient confus. «Oui, non, je t'aime, va-t'en.» Vous avez donc grandi dans une certaine confusion face à votre personnalité. Les affirmations que vous n'avez pas reçues sur une base quotidienne comme enfant, vous les interprétez comme négatives.

Maintenant, lorsqu'une affirmation vous est offerte, elle est très difficile à accepter. L'acceptation comme telle signifierait le commencement de la transformation de l'image que vous vous êtes faite de vous-même.

Lou avait vécu ce problème mais commençait à se métamorphoser.

«Au cours des quatre derniers mois au travail, beaucoup de gens m'ont dit: 'Tu es vraiment une personne gentille. Je suis heureux que tu sois ici.' Les gens m'ont répété ces choses plusieurs fois et j'ai beaucoup de difficulté à les accepter. Je me demande ce qui va se produire plus tard. 'Lou, tu es bien gentil, mais ...' C'est ce que j'entendais quand j'étais jeune. Le 'mais' faisait toujours très mal. Maintenant je dis: 'Merci.' Je me pose encore des questions au sujet du 'mais', mais je commence à croire que je suis celui qui l'insère dans mes pensées... et non eux.»

Un autre membre du groupe m'a parlé d'une relation de laquelle il s'est éloigné parce que l'affirmation l'aurait porté à se changer. «Après la semaine dernière, dit-il, il m'est venu à l'esprit que peut-être ma relation avec Cindy n'était pas allée loin parce qu'elle m'aimait, et puisqu'elle m'aimait, je la croyais sans valeur.»

Toute personne qui croyait en lui ne pouvait valoir grand chose. Ce raisonnement défaitiste provient de la perte d'affirmation et d'approbation qu'il recherchait désespérément.

10. Les Enfants d'alcooliques ont la sensation qu'ils sont différents des autres.

Les Enfants d'alcooliques se sentent différents des autres personnes de leur entourage, parce que, jusqu'à un certain degré, ils le sont. Mais Dieu sait à quel point ils sont nombreux!

Ils présument également que dans n'importe quel groupe, tous les gens se sentent bien et qu'ils sont les seuls à se sentir mal à l'aise. Pour eux, il n'y a rien de bizarre dans cette réaction. Jamais il ne viendrait à l'idée de quelqu'un de vérifier cet état afin de se rendre compte que chaque personne a sa propre façon de ne pas avoir l'air gauche. Est-ce votre cas?

Il est assez intéressant de constater que vous vous sentez différent même dans un groupe d'Enfants d'alcooliques. Cette sensation de différence, vous la portez en vous depuis votre enfance, et même lorsque les circonstances ne le justifient pas, la sensation demeure. Les autres enfants ont eu l'occasion d'être «enfants». Pas vous. Vous étiez très préoccupé par ce qui se passait à la maison. Vous ne pouviez jamais être complètement confortable au jeu avec d'autres enfants. Vous ne pouviez jamais être totalement et mentalement présent. Vos inquiétudes au sujet des problèmes à la maison brouillaient toute autre chose dans votre vie.

Ce qui vous est arrivé est aussi arrivé à tous les autres membres de votre famille. Vous êtes devenu un être isolé. De ce fait, la vie sociale ou même le fait de faire partie d'un groupe est devenu de plus en plus difficile. Vous n'avez tout simplement pas développé les aptitudes sociales nécessaires vous permettant d'être confortable ou de faire partie d'un groupe.

Vous avez tenté certaines choses. Dana a essayé les cadeaux. «J'avais une collection incroyable de poupées Barbie et je les offrais afin de me faire des amies. Généralement, elles me trouvaient un peu stupide de me défaire de mes belles poupées et conséquemment, elles avaient une moins bonne opinion de moi.»

David, de son côté, affirmait: «Je prêtais mes livres qui étaient ce que j'avais de plus précieux.»

Un autre Enfant d'alcoolique enchaînait: «J'ai tendance à donner aux gens ce dont ils ont besoin — une espèce de crochet dans le but de me faire aimer. Quand j'étais enfant, je voyais comment mon père manipulait les gens de cette façon et je me suis rendu compte que cela fonctionnait très bien pour lui, j'ai donc cru qu'il en serait de même pour moi.»

Sur le sujet de choisir un modèle de rôle, Dana ajoutait: «Je m'entourais des gens en ayant recours à l'image irréaliste en termes de personnes intelligentes, débrouillardes, aimantes, du genre troupe de Scouts. Je tentais de m'entourer de gens doux, gentils, plaisants etc. Je n'ai jamais cherché des gens appropriés mais plutôt qui semblaient parfaits. Je n'ai jamais tenté de m'entourer de brutes ou de tyrans et de les utiliser comme modèle. J'analysais la situation et je me disais que ce n'était pas une façon d'être, pourtant je sais que les gens que je choisissais étaient inappropriés.»

David était d'accord. «Lorsque j'étais enfant, moi aussi je m'entourais de modèles de rôle inappropriés, mais j'ai passé d'un point extrême à l'autre. Tous les gens avec qui je me tenais étaient pires que moi. Je ramassais tous les adolescents alcooliques, les gars qui buvaient du sirop pour le rhume à base de codéine, les femmes qui ne pouvaient avoir de relations sexuelles avec des hommes. Comme adolescent j'étais très frustré et je me retrouvais toujours avec les filles grasses sans jamais oser inviter les belles femmes. J'ai encore très peu d'amis.»

Il est difficile pour les Enfants d'alcooliques de croire qu'ils peuvent être acceptés en raison de ce qu'ils sont et de comprendre qu'il n'est pas nécessaire de mériter l'acceptation.

La sensation d'être différent et d'être quelque peu isolé fait partie de votre constitution.

11. Les Enfants d'alcooliques sont démesurément responsables ou irresponsables.

Vous acceptez tout ou vous rejetez tout. Il n'y a pas de juste milieu. Vous avez tenté de plaire à vos parents, en en faisant de plus en plus, ou vous vous êtes rendu au point où vous avez compris d'une façon ou de l'autre que ce n'était pas important, vous avez donc abandonné. De plus, vous n'avez pas vu une famille où les membres collaboraient entre eux. Vous n'avez pas vu la famille décider le dimanche «Allons travailler dans le jardin. Je vais prendre cette section, prends l'autre et on va se rencontrer au centre.»

Sans la sensation de faire partie d'un projet, de coopérer avec d'autres gens et de former une équipe, vous faites tout, ou vous abandonnez tout. De plus, vous n'avez pas un bon sens de vos propres limites. Dire non est extrêmement difficile pour

91

vous. Donc vous en faites de plus en plus. Vous le faites, non pas parce que vous avez un sentiment exagéré de vous-même, mais plutôt 1. parce que vous êtes dépourvu d'une vision réaliste de vos capacités; ou 2. parce que si vous dites «non», vous avez peur qu'on pense que vous êtes incompétent. La qualité du travail que vous accomplissez ne semble pas influencer l'image que vous vous êtes faite de vous-même. Vous acceptez donc plus de tâches jusqu'à ce que vous soyez complètement épuisé.

La peur constante d'être découvert consume énormément de votre énergie. Vous gaspillez ainsi des forces que vous pourriez utiliser à faire un meilleur travail. Non pas en termes de quantité que votre employeur s'attend de vous, parce que vous lui en donnez probablement plus qu'il en demande, mais en termes d'efficacité.

Dana m'a fait part de ses sentiments en ce qui a trait à son travail:

«On ne m'a jamais rien dit. Jamais on ne s'est plaint de mon travail. Au contraire, on m'a toujours félicitée. Ils ont toujours été très bons pour moi. Ils ont été compréhensifs lorsque j'ai été malade, pourtant, je m'attends toujours à recevoir mon avis de congédiement. Et le plus bizarre, c'est que je sais que je fais du bon travail mais, je manque tellement de sécurité que cette lacune contrebalance tout ce que je fais de bien.»

À cause de son manque de sécurité, c'est ainsi qu'elle se comporte.

«Je me rends folle en termes d'organisation, de planification de mon temps et de mon énergie pour des détails si minimes que la tension que je me crée est incroyable. Je me suis rendue au bureau dans un tel état aujourd'hui que lorsque j'ai reçu un autre document 'Je veux' je me suis mise à pleurer. Je semble avoir ce sens des responsabilités qui me force à tout prendre, que ce soit ma responsabilité de le faire ou non. Je veux être capable de le faire et je pense que je devrais être capable de le faire.»

Elle en est finalement venue à ce point:

«Je n'irai pas au travail demain. Il n'y a pas une satanée raison qui me forcera à aller au bureau demain. Je ne crois pas avoir assez de temps accumulé et on déduira probablement les heures de mon salaire, mais je ne peux pas retourner à ce bureau. Du moins, pas cette semaine. Je ne peux pas entrer et regarder tous ces gens et me remettre au travail. Je ne peux pas travailler, je ne peux rien faire, je suis complètement bloquée. C'est vachement frustrant. J'avais beaucoup de travail à faire aujourd'hui et j'avais la nausée. Je suis rentrée à la maison et j'étais hystérique. Je marchais en rond, d'un bout à l'autre de la pièce. J'ai tenté d'appeler tout le monde mais personne n'était à la maison. Le monde entier était absent pour le déjeuner.

Je regrette, c'en est rendu au point où je ne pourrai plus m'occuper de mes affaires.»

En parlant à un groupe d'Enfants d'alcooliques devenus adultes, j'ai laissé tomber, de façon plus ou moins sarcastique: «Vous préparez l'horaire de vos journées de telle façon que vous n'avez même plus le temps d'aller aux toilettes.» Sur ce, un jeune homme m'a répondu: «Ce n'est pas vrai. Nous trouvons le temps d'aller aux toilettes, mais nous apportons un livre.»

12. Les Enfants d'alcooliques sont extrêmement loyaux, même lorsqu'une telle manifestation de loyauté est imméritée.

Un foyer alcoolique semble être un endroit très loyal. Les membres de la famille se tiennent ensemble, bien longtemps après que la raison ait dicté qu'il serait préférable qu'ils se séparent. Cette espèce de «loyauté» résulte davantage de la crainte et du manque de sécurité que de toute autre chose; néanmoins, le comportement qui en résulte en est un où nul ne se distance des autres parce que la situation est devenue tendue. Ce sentiment permet à l'enfant devenu adulte de demeurer dans un milieu qui devrait être dissout.

Puisque se faire des amis ou développer une relation amicale est si difficile et si compliqué, une fois que l'effort a été fait, la permanence s'installe. Si quelqu'un se soucie assez de votre bien-être pour être votre ami, votre amant ou votre épouse, vous avez alors l'obligation de demeurer avec cette personne pour toujours. Si vous leur avez laissé savoir qui vous êtes, ou s'ils l'ont découvert par eux-mêmes, c'est qu'ils ne vous ont pas rejeté, cette situation est même suffisante pour vous faire maintenir cette relation. Le fait qu'ils peuvent vous traiter de façon désagréable n'a aucune importance et vous acceptez ce fait. D'une façon ou d'une autre, peu importe ce qu'ils font ou disent, vous trouverez toujours une façon d'excuser leur comportement et de vous attribuer tous les défauts. Vous renforcez ainsi votre image personnelle négative qui vous permet de prolonger cette relation. Votre loyauté est sans borne.

Il existe beaucoup de sécurité dans une relation établie. C'est un fait connu, et la connaissance est toujours plus sécurisante que l'inconnu. Les changements vous étant excessivement difficiles, vous préférez demeurer avec ce qui est en place.

En fait, vous en connaissez très peu sur ce qui constitue une bonne relation. Vous conservez donc ce que vous avez, sans savoir qu'il pourrait y avoir quelque chose de mieux ou différent. Vous continuez tout simplement à vivre dans ce monde perplexe.

Sur ce point, Dana ajoutait:

«C'est un peu comme une fois que j'avais pris un engagement, je le respectais. C'était parce que j'avais tellement peur d'être moi-même. Je ne savais pas qu'il y avait d'autres types de mariage — différents de ce que mes parents avaient connu ou vécu. Je voulais que mon mariage fonctionne de sorte que nous puissions être capables d'acheter une maison, d'avoir des bébés, de tout faire bien, d'être heureux, satisfaits et de s'aimer. Ça n'a pas fonctionné de cette façon, mais je ne pouvais pas lâcher prise.»

13. Les Enfants d'alcooliques, agissent impulsivement. Ils ont tendance à s'emprisonner dans une voie sans prendre sérieusement en considération les comportements alternatifs ou les conséquences possibles. Cette impulsivité mène à la confusion, au dégoût de soi-même et à la perte de contrôle sur leur environnement. De plus, ils consacrent une quantité excessive d'énergie à réparer les dégâts.

On peut mieux caractériser cet état comme «alcoolique». Il se peut que ce soit un comportement «modelé» sans conscience apparente. Par exemple, l'alcoolique a une idée: «Je vais m'arrêter en chemin et prendre un verre avant de rentrer.» Idée simple — toute pensée pouvant entrer en conflit avec la réalisation de son idée est rejetée rationnellement. «J'avais promis d'être à la maison à temps» ou «Un seul verre ne me retardera pas» ou «J'ai promis que j'arrêterais de boire — un seul verre n'est pas boire.»

Il est vrai qu'un seul verre ne le retardera pas et que ce n'est pas «boire» selon la façon de voir les choses, s'il ne s'arrête que pour un verre. Donc, il s'arrête pour «le» verre.

À partir du moment où l'idée lui est venue de prendre un verre, il devait se rendre au bout. Aucune autre option n'était disponible. L'idée ne comprenait que le premier verre.

Le reste du scénario est clair. Après le premier verre, la contrainte prend le dessus et l'alcoolique perd le contrôle. Il rationalise pendant un temps et une fois qu'il a dépassé la ligne, il oublie tout ce qu'il avait prévu au début.

L'idée qui déclenche son comportement impulsif est dépourvue de bornes horaires. C'est «ici et maintenant». Il n'accorde aucune considération sérieuse à ce qui s'est produit la dernière fois, pas plus qu'il n'en accorde aux conséquences à venir cette fois-ci.

Puisque l'idée se limite au moment «Je vais prendre un verre», des pensées comme «Je vais m'enivrer et être en retard et cela va créer des problèmes» sont sans importance. Le fait qu'il y aura perte de contrôle et que le comportement deviendra démesuré est complètement rejeté. «Je peux contrôler ce que je bois», un énoncé qu'on entend fois après fois, et le contraire se répète, une fois que la contrainte et le comportement déconcertant s'installent.

L'impulsivité est une qualité très enfantine. Ordinairement, les enfants sont impulsifs. Mais lorsque vous étiez enfant, vous étiez plutôt parent qu'enfant, donc votre comportement impulsif d'aujourd'hui constitue une dimension qui vous a manquée au cours de votre enfance. Lorsqu'un manque se manifeste, à une certaine étape, bien souvent on reprend le temps perdu à une autre étape au cours de la vie. Lorsqu'un enfant a un parent qui fonctionne comme un parent et que l'enfant agit de façon impulsive, on dit: «Tu ne peux faire ça. Parce que tu l'as fait, il y a une conséquence.»

Comme enfant, il vous est impossible de prévoir le dénouement d'un comportement ou d'un autre, donc vous ne savez pas comment le faire maintenant. Aussi, il y avait une absence totale de consistance à la maison. De ce fait, vous n'avez jamais évolué avec l'idée que «Lorsque je me comportais de façon impulsive par le passé, ceci se produisait, cela se produisait, et cette personne réagissait de cette façon.» Parfois les choses se passaient bien, d'autres fois, ce n'était pas le cas. Essentiellement, c'était peut-être sans importance. Personne ne vous disait non plus: «Voici les conséquences possibles de ce comportement. Parlons d'autres choses que tu pourrais faire.»

La situation se complique davantage par une sensation terrible d'urgence. Si vous ne faites pas quelque chose immédiatement, vous n'aurez pas une deuxième chance et vous avez pris l'habitude d'être au bord du précipice, en vivant d'une situation alarmante à une autre. Lorsque les choses se déroulent librement, cela devient alors plus inquiétant que lorsqu'il y a un problème. Donc, il n'est pas surprenant que vous en veniez même à créer un problème.

Ce comportement impulsif n'est ni volontaire ni prévu. C'est une force contre laquelle vous n'avez aucun contrôle. C'est la caractéristique la plus instable, celle qui vous fait le plus peur et que vous voulez vraiment changer.

Rose l'exprime de cette façon:

«Ce n'est pas que je manque de sentiments envers les autres, parce que quand je constate les effets de mon comportement, lorsque cela se produit, je ne peux croire ce que j'ai fait. Je me soucie de cette personne, comment ai-je pu? Je suis complètement bouleversée de constater que j'en suis la cause. Je me soucie des répercussions, mais quelque part entre l'effet et la solution, je vois les choses avec des oeillères.»

Dana:

«Je n'ai jamais l'intention véritable de blesser ou de contrarier quelqu'un; c'est juste que le sentier que j'utilise me plonge directement au centre de l'arène.»

Paul:

«C'est un peu comme une charrue. Je veux dire, ce n'est pas quelque chose que l'on fait par hasard. Quant à moi, je plonge tout droit.»

Dana:

«Je marche vers l'avant avec des murs de chaque côté de moi et je continue de marcher.»

Sarah:

«Mes facultés de penser, d'entendre des mots dans ma tête disparaissent. Je suis incapable de trouver les mots qui traduisent dans une phrase ce que je ressens. Tout devient une masse d'énergie et je deviens un ouragan.»

Paul:

«Mon jugement est mauvais et ça me dérange.»

Sarah:

«Je ne vois que le moment.»

Dana:

«Parfois ça me semble la seule direction à prendre. Ce n'est pas vraiment une direction, mais la seule action possible. Il y a eu des fois où je savais que c'était la mauvaise chose à faire et j'en ai payé le prix pendant quatre ou cinq mois après. Je savais avant de le faire que c'était mauvais.»

Sarah:

«Une fois que la sensation me domine, il faut que je poursuive jusqu'au bout. C'est une forme de propulsion contre laquelle je suis impuissante. Je souhaiterais qu'une grue vienne m'en extirper.»

Dana:

«Dès que je fais le premier pas, c'est tout ce dont j'ai besoin. C'est comme dévaler une pente. On fait le premier pas et tout à coup on ne peut plus s'empêcher de descendre.»

Sarah:

«C'est comme un engagement d'aller dans le sens de mes décisions.»

Marc:

«Chez moi ça manque de flexibilité. Ce n'est pas que j'ai l'intention de blesser quelqu'un, mais la personne en souffre généralement. C'est presque infaillible. Même si je reconnais ce fait, je le répète. Quel que soit mon horaire, je ne peux rien changer et je semble être dominé par un élan de vitesse et d'énergie dans une espèce de mouvement continu. C'est comme si je portais des oeillères. On m'a peut-être fait part de certaines choses qui auraient porté une autre personne à ralentir ou à vérifier, mais quand cela m'arrive, je vérifie rarement, et quand je le fais, je n'y porte pas attention.»

Sarah:

«Mon comportement devient compulsif et je suis encline à perdre la possibilité de me projeter dans le futur afin de savoir si c'est vraiment ce que je veux faire. À ce moment, je me sens un peu négative avec les autres, je deviens incapable de toucher, de sentir, de goûter ce qui est bon même si je sais que ces choses sont vraiment plaisantes. Je ne peux les palper, donc elles n'ont aucune valeur pour moi.»

Dana:

«L'émotion du moment est généralement la seule qui compte. Il est donc difficile pour moi de reconnaître qu'il m'est possible de ressentir quelque chose d'autre que ce que je ressens alors. Ou que demain, j'analyserai cette situation et j'aurai une sensation différente.»

Devant un tel comportement, plus souvent qu'autrement, la lumière au bout du tunnel est en réalité le fanal d'une locomotive. Vous avez été incapable de voir la réaction ou l'implication de vos actions. De ce fait, vous vous créez un bon nombre de situations déplaisantes.

Une de mes clientes a décidé un bon après-midi d'acheter un cheval. Elle l'a amené à la maison et l'a installé dans le garage. Elle a eu beaucoup de difficulté à comprendre le désarroi de son mari, puisqu'elle avait cru qu'il s'agissait là d'une bonne idée, donc c'en était fait et elle devait aller jusqu'au bout.

Vous quitterez possiblement votre emploi sans vous rendre compte que vous n'avez aucun autre moyen de gagner votre vie. Peut-être vous marierez-vous sans vraiment connaître l'autre personne. Acheter un cheval est assez inhabituel et je n'ai vu ça qu'une fois mais les deux autres situations se reproduisent très, très souvent. Vous ne finissez pas à vous en faire beaucoup au niveau de votre comportement, mais avant que vous puissiez en prendre connaissance et changer certaines choses, vous devez consacrer beaucoup de temps et d'énergie à vous dégager de ce fouillis. Il y a donc un effet contraire à plusieurs niveaux.

Une partie des difficultés provient du fait que les Enfants d'alcooliques ont tendance à chercher une gratification immédiate, plutôt que déférée.

Le mot que j'utilise le plus souvent avec mes clients enfants d'alcooliques, est «patience». Peu importe ce qui se manifeste, ou ce que vous ressentez le besoin d'accomplir, qu'il s'agisse de vos émotions ou de votre comportement, vous voulez l'accomplir hier. Vous éprouvez certaines difficultés à être patient avec les autres. La personne avec laquelle vous manquez le plus de patience, cependant, c'est vous-même. Vous voulez tout immédiatement.

Cette situation vous crée beaucoup de problèmes parce que votre manque de patience s'immisce dans toutes les autres choses difficiles de votre vie. Votre manque de patience s'introduit surtout dans votre impulsivité et votre jugement envers vous-même.

Il n'est pas difficile de comprendre pourquoi vous voulez tout immédiatement. La procrastination vous crée des ennuis parce qu'au moment de votre croissance, si vous n'obteniez pas immédiatement ce que vous vouliez, c'était la fin. Si vous disiez: «Je veux cela maintenant,» et que vos parents répondaient: «Tu ne peux le faire en ce moment mais tu le pourras à la fin de la semaine» ou «On en parlera plus tard,» vous saviez que c'était fini. Vous saviez de plus que toute promesse remise à plus tard n'était jamais respectée. C'était là une situation courante dans votre vie.

La réalité de votre vie était que si vous ne le faisiez pas immédiatement, ça ne se produirait jamais. Il est donc très difficile pour vous de prévoir les choses futures. Pour vous, affirmer: «Voici ce que je ferai dans deux ans et je le ferai de cette manière» constitue un conflit. Vous voulez ce que vous voulez au moment où vous le voulez puisqu'une petite partie de vous sait que même si ce n'est plus vrai, que si vous ne l'obtenez pas maintenant et que vous ne le retenez pas avec force, cela ne se produira jamais.

La sensation de «Voici ma dernière chance» est ancrée en vous en tout temps. Vous devenez même impatient(e) avec vous-même lorsque vous tentez de régler votre problème de patience et que vous ne vous transformez pas immédiatement en patient. La patience, donc, représente une qualité que vous devez travailler avec acharnement afin de l'acquérir.

CHAPITRE 3

La rupture
du cycle

1. Les Enfants d'alcooliques, se posent des questions sur ce qu'est un «comportement normal».

Il est important pour vous de reconnaître que rien n'est normal. C'est là un des fondements des points qui seront présentés. C'est un élément important puisque tout ce qui est fondé sur de fausses prémisses peut se développer logiquement mais ne fonctionnera jamais. Tout comme une maison de cartes, si la base n'est pas solide, un seul coup de vent suffira à faire chuter toute la structure.

«Normal» est un mythe comme le Père Noël et bon nombre d'émissions de télévision. Ce n'est pas réaliste que de parler en termes de «normal», puisqu'on vous a dupé en tentant de vous faire croire que cela existait. D'autres concepts comme fonctionnels ou dysfonctionnels sont plus utiles. Qu'est-ce qui fonctionne bien pour vous? Quelles sont les choses qui fonctionnent dans votre meilleur intérêt? Et dans l'intérêt de votre famille? Cette approche est réaliste et elle varie d'une personne à l'autre, d'une famille à l'autre.

La tâche, alors, n'est pas de découvrir la signification du mot normal mais ce qui est le plus confortable pour vous et pour votre entourage. Vous avez mordu dans le mythe de la normalité et, ce faisant, avez développé des fantaisies au niveau de votre moi idéal, l'idéal des autres et de votre famille, ce qui a rendu votre vie excessivement difficile. Le moi idéal que vous croyez est l'enfant parfait, la femme parfaite, l'ami parfait, le parent parfait. Puisque la fantaisie ne peut exister, vous consacrez beaucoup de temps à vous juger parce que la vie ne fonctionne pas de la façon dont vous l'avez décidé.

En découvrant ce qui vous apporte une sensation de bien-être et ce qui ne vous apporte rien, pourquoi ressentez-vous aussi le besoin d'analyser ces faits selon la façon dont fonctionne votre famille? Il est maintenant temps pour votre famille d'apprendre comment résoudre ses problèmes et d'éloigner les conflits. Il existe beaucoup de façons d'accomplir ces choses.

La première est plutôt simple. Repérez un livre sur l'évolution d'un enfant afin d'apprendre ce que l'on attend d'eux à différents stades. Puisque vous ne vous êtes pas développé comme la plupart des enfants, vous êtes peut-être démesurément inquiet du comportement de vos enfants. Ce livre vous fournira l'information qui vous manque. Ce n'est pas une tentative de mouler vos enfants en fonction d'étapes successives mais plutôt de découvrir s'ils sont prévisibles ou non. Cette nouvelle connaissance vous apportera un sentiment de sécurité.

Vous pouvez aussi vous inscrire à un cours d'efficacité parentale afin de connaître les techniques d'une relation confortable avec les enfants. Souvenez-vous que nul ne s'attend à ce que vous possédiez toutes les réponses. Vous faites partie d'un grand nombre de gens qui se soucient du bien-être de leurs enfants et cherchent à développer de meilleures façons de communiquer avec eux.

Barry et Aviva Mascari, qui travaillent avec certaines familles chimiquement dépendantes, ont élaboré une adaptation de la réunion de famille adleriane (selon Alfred Adler). Sur une base hebdomadaire, les membres de la famille se réunissent et parlent de points qui leur sont importants, tels que le montant des allocations, l'endroit des vacances annuelles de la famille, la responsabilité du lavage et des ordures ménagères, bien que cela ne signifie aucunement que vos enfants doivent commander les allées et venues de la famille. Cela veut tout simplement dire que chaque membre de la famille participe dans une prise de décisions, de sorte qu'il n'y a jamais de grands secrets. Toute personne est importante et aucune d'entre elles n'est mise à l'écart.

Une bonne partie de votre expérience au cours de votre croissance a été justement d'être mis à l'écart. De ce fait, vous avez eu la sensation que la vie serait meilleure si vous ne faisiez pas partie du portrait. Vous aviez l'impression que ce que vous pensiez et disiez était sans importance. La première étape a renversé cette situation, la réunion familiale inculquera à vos enfants le principe que la contribution est valable. Ainsi, ils n'auront pas à souffrir de la sensation de rejet que vous avez connue.

Une autre façon qui pourrait vous aider à découvrir ce qui fonctionne bien serait de trouver une personne à qui vous pouvez parler d'à peu près tout. Ayez au moins une personne dans votre vie à qui vous pouvez parler sans avoir peur de passer pour stupide et à qui vous pouvez admettre votre ignorance sur certains faits et vous sentir libre de poser n'importe quelle question sans savoir si c'est la bonne. Une telle personne constitue un trésor.

Je recommande que cette personne ne soit pas l'enfant d'un alcoolique parce qu'il est possible qu'elle soit face aux mêmes conflits que vous.

Il est important de pouvoir admettre que vous ne le savez pas. Admettre que vous ne connaissez pas telle chose, ou telle autre, attire toujours comme réponse: «Je suis très heureux que vous ayez dit ça. Je ne le savais pas non plus.» Mais il y a toujours, dans chaque groupe, une personne qui dira: «Tu ne sais pas *ça*?» Vous apprendrez à rire devant une telle remarque ou à l'ignorer complètement. Plutôt, utilisez l'appui de ceux qui *veulent* apprendre et explorer et ne vous inquiétez pas si vous n'avez pas toujours les bonnes réponses.

Je vous encourage à faire confiance à votre intuition qui, la plupart du temps, vous dicte le comportement approprié. Vous avez peut-être tendance à vous retirer trop rapidement et à décider que votre intuition n'a aucune valeur. En lui faisant confiance, vous apprendrez bientôt qu'elle constitue un outil de valeur vous permettant de développer le type de relations saines que vous cherchez.

Une de mes clientes m'a confié que plusieurs personnes avaient consacré temps et efforts afin de lui préparer une fête surprise au moment de son 40e anniversaire de naissance. Sa fille de 20 ans était vraiment détestable, de dire ma cliente: «Vous savez, j'avais le goût de la gifler devant tous les gens mais je me suis retenue.» «Pourquoi? lui ai-je demandé. Je pense que c'est exactement ce qu'elle méritait.» Ma cliente me répondit: «Eh bien, je ne la manquerai pas la prochaine fois. Mais avant je voulais vérifier avec vous.»

Cet incident indique comment traiter une situation difficile. Lorsque quelque chose nous déplaît, on doit l'identifier, en parler et ensuite prendre la décision qui s'impose. Les questions de situations peuvent souvent être résolues de façon simple et facile. Mais celles qui se rattachent au passé sont beaucoup plus compliquées.

Sandra a beaucoup de difficulté à abandonner l'idée qu'elle doit être un parent parfait et que ses enfants la mettent constamment à l'épreuve. Son plus jeune enfant est devenu camelot. Lorsque la femme qui lui a donné le circuit de livraison et qui fait de l'excellente cuisine italienne lui a demandé: «Est-ce que je peux te récompenser pour tes services?» Il lui répondit: «Pourquoi pas un bon repas chaud?»

Sandra nourrit bien ses enfants, pourtant, elle s'est sentie bouleversée et affolée parce qu'elle craignait que sa voisine pense qu'elle nourrissait mal ses enfants. Elle n'avait aucun sens de l'humour et ne savait comment traiter cet incident. Une autre fois, son fils acceptait un petit déjeuner de crêpes dans une autre maison, en plus d'avoir mangé à la maison. Sandra devait donc étudier la raison de son malaise qui était relié à son perfectionnisme et la façon dont elle voulait être vue dans le voisinage.

Par ailleurs, elle trouvait que son fils profitait des voisins. Elle décida d'appeler la voisine qui avait confié le travail de camelot à son fils. La femme trouva l'incident plutôt drôle et lui dit: «Vous avez vraiment un charmant bonhomme. J'adore voir les gens manger. Leur préparer des repas représente l'une des plus grandes joies de ma vie. Je sais fort bien qu'il vient chez moi directement de chez vous, mais si ça ne vous dérange pas trop, ça me fait plaisir de l'accueillir ainsi.»

Sandra se sentit plus à l'aise et les deux femmes continuèrent à parler. Elle admit à cette voisine que sa plus grande crainte était que la voisine pense qu'elle nourrissait mal ses enfants. Sa voisine s'est mise à rire parce qu'au moment de la conversation, elle était enrhumée avec une fièvre et se sentait coupable de ne pas être à ses cours, de ne pas être l'élève parfaite, tandis que Sandra ne croyait pas être la mère parfaite — les deux femmes se sentaient coupables. En parlant de leurs problèmes respectifs, elles se sentirent plus à l'aise parce que la réalité devenait plus évidente. C'était important puisque la perfection n'est pas réaliste et l'effort de devenir parfait crée beaucoup d'anxiété. On peut viser certains objectifs, mais la perfection n'offre aucune récompense bénéfique.

Une personne fonctionnelle sait comment traiter un conflit de façon responsable. Cela comprend la confrontation, le traitement et la solution du problème. Au moment où vous grandissiez, vous ne saviez pas comment résoudre vos problèmes — vous les contourniez, sans les résoudre. Comme adulte, vous vous comportez de certaines façons qui ne sont pas utiles dans ce domaine.

Essayez ce petit exercice: imaginez que vous marchez dans un corridor et qu'à mi-chemin quelqu'un sort d'une porte. Vous êtes fâché contre cette personne, ou cette personne est fâchée contre vous.

Que faites-vous? Devez-vous maintenir votre position et confronter la personne en disant: «Je suis heureuse de vous voir, nous devrions régler certaines choses.» Ou tournez-vous les talons? Lancez-vous quelques remarques frivoles qui n'ont rien à faire avec les points que vous et l'autre personne doivent discuter? Continuez-vous à marcher en prétendant qu'il n'y a personne?

Que faites-vous au moment où une discorde se manifeste? Comment vous conduisez-vous? Quelle est votre première réaction? Pour résoudre un différend, vous devez comprendre ce que vous devez faire et ce qui se passe dans votre for intérieur. C'est l'unique point de départ. Une fois que vous comprenez cette démarche, vous êtes prêt à prendre la décision concernant le problème et à faire face à la réalité. La fuite devant un problème ou une responsabilité constitue le plus grand problème des foyers alcooliques. C'est le moment tout désigné de voir la réalité et de se rendre compte qu'il n'y a rien de «normal» comme tel. Il n'y a que la réalité que vous déterminez vous-même avec l'aide et les données provenant de gens qui sont intéressés, disposés et anxieux de participer à votre mieux-être, tout en accroissant le leur.

2. Les Enfants d'alcooliques éprouvent certaines difficultés à piloter un projet et à le réaliser pleinement.

Le moment est venu pour vous de découvrir si vous êtes l'adepte de la procrastination que vous croyez être. Aussi, tout simplement, il vous manque l'information vous indiquant comment compléter une tâche. Comment fait-on progresser un projet du début à la fin? Comment cela se produit-il? C'est possible, ça se fait et ça se produit. Il faut cependant une démarche systématique. Les gens qui réalisent des projets ne le font pas avec désinvolture. Ils ont ce qu'on appelle un «plan d'action». Il se peut qu'ils aient développé ce système au point qu'il semble automatique, mais ce ne l'est pas. Il existe un processus fondamental.

D'abord, il faut vraiment connaître le processus de sorte qu'on puisse le suivre et qu'il n'y ait pas d'accrochage en route et qu'on commence à se juger. La première chose à faire au moment où l'on conçoit un projet, c'est d'analyser de près l'idée. Est-ce faisable? Est-ce possible de l'accomplir et, que veux-t-on accomplir?

Il faut concevoir un plan d'action, point par point, afin de réussir. Il faut prévoir un horaire bien défini avec des échéances. Il faut déterminer le temps requis pour chaque segment du projet. Il n'est pas nécessaire de savoir exactement combien de temps le projet global nécessitera, mais il faut tout de même avoir une conception des éléments et de déterminer le temps requis pour chacun.

Une fois la décision prise, l'étape suivante est d'établir les échéances. Est-ce réaliste d'accomplir ce projet dans ces limites de temps, si tous les éléments ensemble requièrent un nombre d'heures élevé?

En élaborant la méthode permettant de respecter l'échéancier, il faut regarder de près son propre style de travail. La meilleure façon de ce faire est de se fier à son style d'apprentissage. Lorsque vous étiez à l'école, qu'est-ce que vous appreniez le plus facilement? Étiez-vous la personne qui réussissait le mieux en accomplissant une partie de votre projet à tous les jours, ou celle qui se bourrait le crâne la veille parce que cela constituait la meilleure façon d'apprendre ou parce qu'il n'y avait aucune alternative? Il vous faut déterminer la méthode qui vous apporte la plus grande satisfaction tout en tenant compte de votre style d'apprentissage.

Si ces étapes ne s'imbriquent pas et si l'objectif n'est pas réalisable, il faut concevoir l'idée à nouveau. Peut-être que le projet n'est pas réaliste et, le cas échéant, il nécessite une révision totale. Peut-être avez-vous pris une chose supérieure à vos possibilités pour le moment. Ou peut-être que le projet nécessite une approche différente, par une étude en profondeur de l'idée et de l'horaire. Il se peut que le concept soit excellent mais que vous avez mal prévu le temps requis. La création demande une nouvelle analyse, une nouvelle évaluation. Prévoyez certains changements en cours de route qui feront toute la différence. Il n'est pas nécessaire de rester emprisonné parce que vous avez mal planifié le dénouement.

Voici un exemple d'un processus qui devrait illustrer clairement ce que j'avance. Paul a 48 ans et est un excellent homme d'affaires. Il est souvent placé dans des situations où la pression est très grande telles que des échéances de 24 heures pour préparer des rapports. Il se balance entre un conflit et un autre et se débrouille à merveille. En tant qu'Enfant d'alcoolique devenu adulte, il s'y connaît dans ce domaine — pour lui c'est devenu un avantage.

Paul avait décidé d'obtenir un doctorat. Après avoir été accepté dans un programme, il est venu me voir affolé. «Je ne peux pas» me dit-il. «Il m'est impossible de rédiger cette dissertation.» J'ai souri. Il était terrassé de constater qu'un tel projet prendrait un an à compléter. Puisqu'il n'avait aucun point de référence pour ce genre de travail, il avait peur. Il était en même temps assez intelligent pour reconnaître ses faiblesses et il sollicitait de l'aide afin de surmonter son problème.

La première chose que nous avons décidée: il devait limiter le nombre de personnes à qui il révélerait son plan, puisqu'il recevait trop de commentaires, trop d'approches différentes. Cette situation, en plus de sa difficulté à développer son approche personnelle, augmentait son anxiété. Je lui ai tout simplement dit: «Si tu veux que je t'aide, je suis la seule personne à accroître ton anxiété, en ce moment».

Il avait décidé que cette dissertation serait la plus définitive de tous les temps. Il lui fallait abandonner la notion de grandeur et décider de limiter sa recherche à un sujet plus approprié. Il lui fallut aussi former un comité de gens intéressés à voir son projet couronné de succès et dont les données étaient pertinentes. Dès qu'il eut formé ce groupe, ses craintes s'envolèrent.

L'étape suivante fut de déterminer le temps requis pour le développement de cette dissertation. Il était nerveux comme s'il eut été obligé de la compléter hier. Le document devait nécessiter un an de travail. Il devait prendre le temps d'accumuler, d'assembler et d'évaluer le matériel. Il devait aussi interpréter les résultats et préparer sa présentation de sorte qu'elle soit acceptable aux membres du comité. Ça ne pouvait se faire hier, ça ne pouvait se faire demain. Un an représentait la seule évaluation réaliste du temps requis pour un tel projet.

Une fois cela compris, nous étions en mesure de regarder de plus près son style d'apprentissage. Comment apprenait-il le mieux? Pouvait-il accomplir ce travail de la même façon qu'il avait toujours procédé au cours de sa vie? Il devint évident qu'il ne le pouvait pas, en faisant tout à la dernière minute. De plus, il n'avait pas l'intention de prendre un mois ou deux de congé au travail afin de se consacrer exclusivement à sa dissertation. On a donc décidé qu'il travaillerait deux heures par jour.

Nous devions aussi considérer ce qu'un tel horaire signifiait. Cela voulait-il dire qu'il devait écrire deux heures par jour? Ou s'asseoir à sa table de travail pendant deux heures chaque jour? Pouvait-il penser au cours de cette période? Nous en sommes venus à la conclusion qu'il devait faire quelque chose qui fut associé à cette dissertation pendant ces deux heures. Le temps qu'il consacrait à penser se traduirait par le temps accordé à l'écriture. Il n'était pas nécessaire qu'il se transforme en bourreau de travail. Nous avons aussi déterminé que le meilleur endroit pour lui de faire son travail était chez lui, devant un pupitre aménagé dans une pièce, à l'arrière de la maison, où il pouvait bénéficier d'un peu d'intimité. Les heures les plus productives de la journée étaient très tôt le matin. Ainsi, il travaillait avant que les autres membres de la famille se lèvent ou que le téléphone ne commence à sonner.

Ces décisions étaient élémentaires et simples. Mais elles faisaient toute la différence entre la réussite et l'échec — elles étaient le fruit d'une planification minutieuse.

Paul n'avait jamais vécu la planification de sa vie. C'était la première fois que quelqu'un s'était joint à lui et lui avait dit: «Comment dois-tu accomplir ceci? Comment entends-tu le compléter? Quel est ton plan d'action? Combien de temps comptes-tu y mettre? Est-ce faisable?»

Après avoir travaillé sur sa dissertation pendant deux semaines, il admit qu'il ne pouvait travailler deux heures par jour, mais pouvait le faire pendant une heure. Cet horaire lui était plus réaliste et il sentait qu'il pouvait accomplir le nécessaire en moins de temps. Bravo! Il avait développé un plan d'action et il était en mesure de le réviser et de rendre le projet plus maniable. Il avait dissipé ses craintes qui le vidaient de son énergie et qui l'empêchaient d'évoluer. À partir de ce point, Paul eut moins de difficulté à suivre le projet du début jusqu'à la fin.

Les étapes énoncées précédemment s'appliquent à tout ce que l'on doit accomplir. Cette merveilleuse idée que vous avez, peut être possible ou non. Rien ne se produit avec la chance mais plutôt par une planification bien structurée. Au fur et à mesure que vous accumulez de l'expérience en planification, cela se fait automatiquement. Les difficultés que vous ressentez présentement ne sont peut-être pas rattachées à la procrastination mais tout simplement au fait que vous n'avez pas su reconnaître le processus.

Vos jeunes enfants n'ont pas à attendre de devenir adultes avant de pouvoir résoudre ce problème en particulier. Si leurs enseignants vous ont fait part qu'ils n'ont pas exploité leur potentiel au maximum, qu'ils ne complètent jamais ce qu'ils ont commencé, vous pouvez leur dire: «Mon enfant doit apprendre comment le faire. Mon enfant ne finit peut-être pas ce qu'il ou elle met en marche — non pas par manque d'intérêt, non pas par manque d'implication — mais plutôt parce qu'on doit lui apprendre à le faire.»

Prévoyez une rencontre avec l'enseignant ou l'enseignante; si l'échange se fait en toute amitié, parlez de façon que votre enfant puisse développer des habitudes d'étude lui assurant la possibilité de compléter un projet. Vos enfants ne réussissent peut-être pas au niveau de leurs propres attentes à l'école parce qu'ils leur manquent l'expérience de voir une chose réalisée du début jusqu'à la fin. Ce n'est pas le temps de vous juger ou de vous accuser d'être un mauvais parent. Une telle démarche vous empêcherait d'aider votre enfant et de structurer l'environnement nécessaire à son épanouissement. Vous pouvez développer et organiser une structure adéquate avec ou sans l'aide d'un enseignant.

On doit d'abord établir des lignes directrices. Il n'est pas nécessaire d'être dictatorial; on peut établir ces lignes avec les enfants de sorte qu'ils deviennent partie intégrante de la conception de la vie. Ce n'est pas nécessaire qu'ils s'y plaisent puisque le moment est venu pour eux de faire des choses de façon systématique. Par exemple, les travaux à la maison doivent être faits à tous les jours, à un moment et à un endroit précis, selon un horaire et en quantité acceptable. Voilà le point de départ.

Il est important de leur laisser savoir qu'ils ne sont pas stupides, sentiment auquel ils commencent à croire très tôt dans la vie.

Les difficultés résultent du manque d'expérience, mais cela peut changer. La famille peut former un partenariat où les membres apprennent à finir ce qu'ils entreprennent. Il s'agit là d'une entreprise à laquelle tous prennent part, en s'accordant plus de contrôle de leur vie respective. Ce processus aura pour but d'améliorer vos relations avec vos enfants et de rompre le cycle au cours de la génération suivante.

3. Les Enfants d'alcooliques, devenus adultes, mentent alors qu'il serait tout aussi facile de dire la vérité.

Mentir est une mauvaise habitude, bien difficile à briser, parce que lorsque vous étiez enfant, il y avait une certaine récompense associée au mensonge. En tant qu'adulte, vous découvrez qu'il n'y a plus de récompense, mais l'habitude persévère. J'ai déjà vu la rupture de cette habitude surtout parce que les sanctions étaient tellement grandes que la vie était devenue intenable. L'idéal c'est d'y mettre fin avant que cela ne se produise. Premièrement, on doit faire la différence entre le mensonge «mesuré» et le mensonge «automatique». Il est possible qu'un mensonge mesuré apporte une petite récompense. Ce n'est pas à moi d'en juger; je l'offre à titre de choix: mentir ou ne pas mentir. Le cycle que nous tentons de rompre est celui où vous mentez automatiquement et où vous n'avez aucun contrôle sur ce fait.

L'étape initiale visant à remédier à cette mauvaise habitude c'est de s'en rendre compte. Si vous avez toujours menti automatiquement, vous n'êtes pas nécessairement conscient d'en avoir été victime.

Permettez-vous de ne pas mentir pendant une journée entière. Ensuite, voyez ce qui se produit. Il se peut que vous ne puissiez résister à la tentation. Tant mieux si vous le pouvez. Était-ce difficile ou facile? Si vous n'avez pas réussi, notez sur papier l'objet de votre mensonge et ce qui se passait dans votre for intérieur au moment de mentir.

Évaluez ce qui s'est produit à la fin de la journée sans vous juger. Vous avez fait ce que vous avez fait. Vous avez accompli ce que vous avez pu. C'était facile ou c'était difficile. Vous avez été capable de résister au mensonge au cours d'une partie de la journée, mais non la journée entière. Vous étiez capable de le faire dans certaines situations, mais pas dans d'autres.

Peut-être réussissiez-vous en relaxant mais vous étiez incapable lorsque vous étiez stressé.

Relisez vos notes et pensez-y bien. Plutôt que de vous juger, apprenez à vous connaître un peu mieux en devenant de plus en plus conscient de votre comportement.

Commencez le début de la journée suivante de la même façon en répétant le processus. Faites cela pendant trois ou quatre jours. À la fin, évaluez votre progrès. Si vous mentez encore de façon automatique, il serait bon de vous faire un point de corriger toute faute énoncée la prochaine fois que vous vous prendrez à mentir.

Voilà un engagement puissant. Vous vous dites: «Même si l'habitude est forte, il est important que je la change.» Si vous ne pouvez le faire, au moins soyez réaliste en acceptant le fait que vous n'êtes pas prêt à changer, quelle que soit la raison.

Si le fait d'être plus conscient de votre acceptation ne mène pas à la disparition du mensonge automatique, il est fort probable qu'il s'agit là d'une très mauvaise habitude. Il se peut que ce soit un élément à régler en profondeur; qu'il s'agisse d'une tactique de survie qui s'est perdue dans le temps. En raison de votre passé et des craintes enfantines que vous avez développées, vous avez possiblement besoin d'aide afin de modifier votre comportement.

Certaines choses se changent simplement et facilement. D'autres nécessitent beaucoup de travail et d'assistance avant d'y arriver. Cela ne veut pas dire qu'il se passe quelque chose d'anormal chez vous. Il est peut-être plus difficile de réussir que vous aviez pensé. Lorsque je travaille avec quelqu'un qui a ce problème, je dis simplement: «Je crois que vous croyez ce que vous venez de dire.» Nous pouvons donc l'analyser et voir ce que cela veut dire et ainsi découvrir la vérité.

Bon nombre d'Enfants d'alcooliques se rendent à l'extrême. Puisqu'ils sont entourés de tellement de mensonges, ils décident de ne jamais mentir. Voilà une façon inhabituelle de traiter le problème de croissance — c'est un déni du schéma familial.

Si vous avez été associé aux AA, Al-Anon ou autres programmes, vous pouvez utiliser ces outils de récupération afin d'enrayer cette mauvaise habitude. Vous pouvez faire ce qu'on fait avec l'alcool, vous vous engagez un jour à la fois! Et, un jour à la fois, vous commencez à croire en vous-même; vous parvenez à changer vos mauvaises habitudes.

4. Les Enfants d'alcooliques se jugent impitoyablement.

Tim, l'enfant de deux alcooliques, m'a écrit pour me faire part de sa vie et de ses sentiments. Il m'a exprimé sa découverte la plus significative, de façon très simple: «Bien que je puisse commettre des erreurs, je ne suis pas une erreur.» Ces paroles m'indiquaient qu'il avait atteint un certain niveau de liberté. Il avait commencé à se voir honnêtement sans se juger. Quand on peut séparer le comportement de la personne, on est libre de changer, se développer et croître.

Bien qu'on vous ait indiqué depuis votre enfance toutes vos lacunes, il est important que vous reconnaissiez que chacune comporte un élément positif et négatif. Par exemple, si vous êtes intelligent, c'est merveilleux puisque vous pouvez comprendre certaines choses que les gens moins intelligents ne peuvent pas comprendre. Pourtant, ces éléments sont bien souvent déroutants. Si vous cherchez en profondeur, la joie est plus intense que la douleur. Qui peut donc affirmer ce qui est bon? Qui peut décider de ce qui est mauvais? L'idée c'est de tout simplement l'explorer, en devenir fasciné et voir ce que cela signifie.

Vous en êtes peut-être venu à voir votre vie comme un scénario de l'antiquité grecque. Une de mes clientes en est venue à ce point, bien qu'à part son attitude, rien d'autre ne semble être à la base de ses problèmes. Il n'est pas nécessaire de percevoir la vie comme un échelonnage de misère. Si on le fait, il est utile de se demander où est la récompense. Que gagne-t-on en se jugeant soi-même? Pourquoi ne jamais voir les bons côtés? Pourquoi ne jamais choisir les éléments qui nous rendent spécial et magnifique? Pourquoi ce besoin de rigidité envers soi-même? La raison en est probablement fort simple. La douleur est une chose familière et vous avez appris à vivre avec le chagrin. Puisque vous ignorez ce qu'est une vie qui fonctionne bien, vous ne savez comment la diriger. Il n'est pas rare pour un client de découvrir un certain confort dans l'idée médiocre qu'il s'est fait de lui-même.

Lorsqu'on prend le contrôle de notre vie et que les choses semblent aller mieux, c'est à ce moment qu'on est le plus vulnérable. Il n'est pas rare de voir leur progrès soumis à un sabotage systématique. Même avec un avertissement, le besoin des choses familières prend le dessus. Après tout, les premières influences dans la vie sont les plus puissantes.

Un des exercices que je pratique avec mes clients indique qu'un jugement, bon ou mauvais, constitue une fonction de la personne. Le groupe s'assoit en rond et décide de «construire» un monstre au centre du cercle. C'est une occasion de nous vider, complètement ou partiellement, de tous les traits que nous ne désirons plus posséder. S'il s'agit d'une qualité rejetée qu'une autre personne désire, elle peut l'accueillir. Nous avançons et reculons ainsi, dans ce jeu fascinant. Un homme décide qu'il veut abandonner 90 pour cent de sa procrastination et, avant que son «monstre» n'arrive au centre du cercle, quelqu'un lance: «J'en prends 75 pour cent, parce que je suis une personne beaucoup trop compulsive.»

Une autre personne affirme: «Je veux perdre ma culpabilité» et une autre personne répond: «Ça m'en prend un peu. Je ne veux pas percevoir mes responsabilités par rapport à l'impact qu'elles ont sur les autres.» Les gens semblent surpris au fur et à mesure que l'on avance. Lorsqu'une personne dit: «Je suis las d'être aussi sensible. Je vais me défaire de 60 pour cent de ma sensibilité» une autre répond: «J'ai manqué de sensibilité assez longtemps. Je pense que je vais prendre une partie de la vôtre.»

L'exercice indique clairement que nous devons regarder et explorer nos traits. Jusqu'à quel point nous sont-ils utiles? Jusqu'à quel point nous bloquent-ils la route? Certainement, les juger et se juger soi-même est moins qu'utile. Qui peut dire ce qui est bon, ce qui est mauvais? De toute façon, si vous vous arrêtez et décidez que vous êtes vous et que cela est bien, vous avez certes plus de choix dans la vie.

Le monstre cesse d'être un mélange confus. Et le seul point sur lequel les gens sont d'accord, c'est de pouvoir jeter au centre ce poids inutile ainsi que les belles-mères tyranniques.

Savoir accepter des compliments constitue un autre aspect de la façon de se juger. Êtes-vous en mesure de bien les accepter? Rejetez-vous systématiquement tout compliment? L'expérience m'a appris que lorsque quelque chose ne fonctionne pas, on en accepte la responsabilité. Mais lorsque quelque chose va bien, on fait: «C'est arrivé tout simplement comme ça» ou: «C'était facile.»

Si c'est votre cas, peut-être considérez-vous cela comme de l'humilité, mais vous perpétuez ainsi l'image négative de vous-même. Cela ne vous permet pas de vous accorder de crédit pour les choses que vous faites bien, ce qui vous permettrait de commencer à bien vous sentir à propos de vous-même.

Vous avez le droit d'agir humblement envers les autres tout en vous assurant d'accepter ce qui vous est dû. Lorsque quelque chose vous vient facilement, cela ne veut pas dire que c'est sans importance. Pourtant, si vous commettez une faute d'inattention, cela ne réduit en rien son importance.

Essayez d'être conscient des choses que vous faites bien. N'en perdez jamais la dimension. Utilisez-les comme fondation qui vous permettra de devenir une personne complète. Vous n'avez pas à juger les choses puisqu'elles font partie intégrante de l'être humain complet que vous êtes.

5. Les Enfants d'alcooliques s'amusent difficilement.

C'est l'enfant en nous qui s'amuse — qui sait comment jouer. Comme l'enfant en nous a été réprimé depuis longtemps, il doit être découvert et développé. Il vous faut devenir l'enfant que vous n'avez jamais été.

Un ami m'a déjà présenté un plan quelque peu frivole d'enfants-à-louer. Il a basé son idée sur le fait que les choses qu'un adulte aime faire deviennent beaucoup plus plaisantes en présence d'un enfant. Aller à la pêche en est une et il voulait adopter un enfant aux cheveux roux, aux joues pleines de taches de rousseur pour l'accompagner. Au parc d'amusement, il voulait aussi un enfant avec lui de sorte qu'il n'aurait pas l'air idiot sur la grande roue.

Cet homme aimait aussi la balançoire dans le parc. Vous savez ce que les gens pensent lorsqu'ils voient un adulte sur une balançoire ou un tas de sable! Mais si par hasard vous amenez un enfant, vous passez pour, soit un bon parent, soit un adulte engagé. Les enfants savent comment s'amuser.

Donc, si vous voulez apprendre, passez quelque temps avec un enfant qui sait comment s'amuser. Laissez-vous aller à ces choses enfantines que vous n'avez jamais essayées. Au fait, quelles étaient-elles au cours de votre enfance? Quels sont les jeux que vous auriez aimés mais auxquels vous n'avez jamais participé? Le moment est maintenant venu de commencer à jouer.

Plus votre confiance est élevée, moins vous aurez peur d'avoir l'air stupide. Il se peut que vous ayez à apprendre à relaxer et à ne rien faire. Se réserver quelques moments pour vous-même sans décider lesquels doivent être productifs. Aussi ironique que cela puisse vous sembler, vous aurez peut-être à les planifier. Prévoyez-les dans votre journée de sorte que vous ne perdrez pas ce temps à penser à toutes les choses peu pratiques que vous vouliez accomplir mais qui ne se sont jamais manifestées. Je peux m'amuser, mais je n'ai aucun talent pour m'y préparer. Puisque je ne peux penser à aucune chose amusante, je passe mon temps avec des gens qui en sont capables. Ce n'est pas surprenant, ils ne sont pas enfants de parents alcooliques devenus adultes.

Cependant, je dois admettre qu'une bonne part du plaisir est d'amener des gens comme vous. Lorsque vous vous détendez et êtes époustouflé à force de vous amuser ferme, vous augmentez le plaisir pour nous tous. Le «Aha!» représente la première expérience de quelque chose de très précieux à partager avec une autre personne.

6. Les Enfants d'alcooliques se prennent très au sérieux.

Une des raisons pour lesquelles vous avez autant de difficulté à vous amuser, en plus du manque d'expérience, c'est que vous vous prenez trop au sérieux. Afin de surmonter ce handicap, vous devez vous séparer de ce que vous faites. Vous devez mettre de côté vos responsabilités, tel que votre travail. Il n'est pas nécessaire d'être ce que vous faites. La clé c'est de prendre son travail au sérieux puisqu'il est approprié et important, mais sans se prendre soi-même au sérieux. Votre travail ne représente pas votre personne toute entière.

Une des meilleures façons de vous séparer de vos activités est de préparer un horaire. Si vos tâches doivent être accomplies entre 9h00 et 17h00, quittez à 17h00. Le fait de traîner jusqu'à 19h30 ne fait pas de vous une personne plus productive et, à la fin, il est possible que votre efficacité en souffre. C'est aussi une façon de se défiler de la vie.

Une cliente, travailleuse bénévole dans un hôpital, consacrait beaucoup de temps aux malades en phase terminale. Elle était aussi diacre à l'Eucharistie pour les gens alités. Elle consacrait beaucoup de temps aux gens autour d'elle. Lorsqu'elle est venue me voir, elle se dirigeait dangereusement vers l'épuisement total.

Elle ne voulait quitter son travail pour aucune considération puisqu'il était important et productif. Elle sentait également que cela faisait partie de son être. J'étais portée à être d'accord avec sa philosophie, donc il nous fallait trouver une façon de rendre ses efforts plus souples de sorte qu'elle pourrait s'accorder un peu de temps.

Elle savait déjà comment utiliser ses moments libres. Elle était musicienne accomplie, aimait le théâtre, était athlétique et entourée d'amis. Elle avait déjà prévu utiliser ses temps libres, mais pour une raison ou une autre, cela n'avait été qu'une idée passagère.

Nous avons donc planifié un horaire flexible. Elle avait décidé que deux jours par semaine, elle consacrerait ses avant-midis à travailler et ses après-midis à se récréer. Cela semblait une façon de prendre son travail au sérieux mais de se réserver quelques moments pour ses activités personnelles. Elle pouvait de cette façon accomplir tout ce qu'elle désirait.

Il faut planifier consciencieusement afin de se séparer des activités quotidiennes. Cette démarche ne se manifeste pas de façon automatique. Cela ne fonctionne pas tout simplement en disant: «Je vais réduire mes heures de travail. Je vais être différente.» On doit être plus spécifique.

Il faut être préoccupé par d'autres choses de façon à vivre une vie bien remplie. Sinon, on devient limité et on éprouve plus de difficulté à se récréer. On devient ainsi une personne moins intéressante.

Que faites-vous pour vous-même? Ou plus spécifiquement, qu'avez-vous fait pour vous-même aujourd'hui?

7. **Les Enfants d'alcooliques éprouvent beaucoup de difficulté à engendrer une relation intime.**

Cette situation comporte plusieurs aspects. Le premier fait que les Enfants d'alcooliques ne savent tout simplement pas comment créer une relation saine et intime. Vos craintes de laisser pénétrer quelqu'un dans votre intimité vous en empêchent. Une partie de cette peur provient de l'inconnu. De quoi s'agit-il? Qu'est-ce que cela comprend? L'intimité engendre le rapprochement. Comment se rapproche-t-on? Quels sont les ingrédients d'une bonne relation?

Il faut se souvenir qu'une relation stable ne se produit pas du jour au lendemain. Il existe plusieurs éléments et chacun doit être partagé. Lorsqu'on se rapproche d'une autre personne, il est important d'offrir à ce partenaire ce que nous aimerions recevoir en retour.

Le degré d'intimité est déterminé par le partage — selon ce que chaque partenaire est disposé à donner. C'est, en effet, un contrat qui est avantageusement servi lorsqu'il est bien compris et énoncé clairement. Bon nombre d'ententes sont sous-entendues, mais on doit trouver une façon de les faire ressortir.

Plusieurs ingrédients sont essentiels à une bonne relation. Ils se rapportent aux qualités de la personne: amour, parenté, enfant, ami(e), époux ou épouse, employeur ou collègue de travail.

La forme ou le degré, cependant, peut changer selon la nature de la relation. Inutile de spécifier l'ordre ou la signification dans cette liste. Ce qui importe, c'est que tous ces ingrédients soient présents et qu'ils aient quelque chose en commun. En l'absence d'un de ces facteurs, on ne peut maintenir une relation valable avec cette personne.

Une fois de plus, il est important de se rappeler que l'intimité est déterminée par le degré de contribution de ces facteurs entre les partenaires. Dans certains types de relations, cette étape est plus importante et plus appropriée que dans d'autres.

Au fur et à mesure que vous lisez la liste, vous serez peut-être tenté(e) d'explorer chacun des aspects en fonction de vos relations avec les gens. Sont-ils tous présents? Vous découvrirez ainsi la raison pour laquelle certaines relations fonctionnent bien, alors que d'autres moins bien. Si l'un ou l'autre des ingrédients manque, il semble y avoir un trou dans la relation.

- VULNÉRABILITÉ — Dans quelle mesure suis-je disposé à laisser tomber mes barrières? Dans quelle mesure suis-je prêt à laisser l'autre personne toucher mes sentiments?

- COMPRÉHENSION — Est-ce que je cerne bien l'autre personne? Est-ce que je comprends ce qu'il (elle) veut dire par ses paroles et ses actions?
- COMMUNION D'IDÉES — Dans quelle mesure suis-je prêt(e) à ressentir ce que l'autre personne ressent?
- COMPASSION — Suis-je véritablement intéressé(e) aux choses qui préoccupent l'autre personne?
- RESPECT — Est-ce que je traite l'autre personne comme si elle avait une valeur véritable?
- CONFIANCE — Dans quelle mesure suis-je disposé(e) à laisser l'autre personne avoir accès aux choses que je ne veux révéler à personne?
- ACCEPTATION — Suis-je approprié(e) comme je suis? Mon partenaire l'est-il - l'est-elle?
- HONNÊTETÉ — Cette relation est-elle vraiment authentique ou si elle comporte certains jeux?
- COMMUNICATION — Pouvons-nous nous exprimer librement et parler des vrais choses dans cette relation? Savons-nous comment le faire, de sorte que l'on se comprend et que la relation progresse grâce au partage?
- COMPATIBILITÉ — Dans quelle mesure aimons-nous et détestons-nous les mêmes choses? Jusqu'à quel degré est-il important que nous soyons différents sur certaines attitudes et croyances?
- INTÉGRITÉ PERSONNELLE — Dans quelle mesure suis-je capable de me maintenir ainsi qu'offrir à l'autre personne?
- CONSIDÉRATION — Suis-je conscient(e) des besoins de l'autre personne en plus de l'aimer?

Voilà les ingrédients que certaines personnes ont partagés avec moi, comme étant essentiels à une bonne relation. Ce sont là les éléments de base.

À la fin, une solide relation en est une sur laquelle tout autre élément est fondé: «Suis-je interprété de façon réaliste et l'autre personne me semble-t-elle réaliste? Suis-je capable de voir cette personne comme elle est véritablement? Peut-elle me voir comme je suis?»

Lorsqu'on n'est pas réaliste, les attributs n'ont aucune importance. Ils ne sont ni appropriés ni valides. La possibilité d'être vu et de voir le partenaire de façon réaliste, quelle que soit la nature de leur relation, est critique à sa survie. C'est probablement encore plus important dans le cas où les deux partenaires ont vécu des histoires différentes puisqu'ils réagiront de façon incompatible à la fondation d'une bonne relation.

Si vous êtes réaliste, vous et votre partenaire pouvez parler et apprendre de vos problèmes et vous rapprocher. Si la relation est fondée sur la fantaisie, elle est peut-être vouée à l'échec.

Par exemple, les Enfants d'alcooliques n'ont pas peur d'être abandonnés. Lorsqu'un problème se manifeste, ils s'affolent, de sorte que le problème fait rarement l'objet d'une discussion. Si vous êtes avec une personne qui a besoin d'un certain espace vital, tout affolement de votre part peut être excessivement destructeur. Essayez de dire à votre partenaire: «J'ai un problème et je deviens excessivement tendu lorsque nous avons un différend d'opinion. Il est difficile pour moi de regarder un problème objectivement. Je sais que tu réagis de façon différente, mais promets-moi que si tu es en colère contre mon comportement, que tu m'assureras que tu m'aimes. De cette façon, nous pourrons en revenir au problème.»

Dans une relation enviable, ces réactions doivent faire l'objet d'une bonne discussion. On doit même en parler avant qu'elles ne se manifestent, de sorte qu'on puisse les analyser comme elles sont véritablement. La discussion même aura pour but d'éloigner la crainte d'abandon. Ensuite on peut dire: «Maintenant, quelle était la nature du problème avant que je perde mes moyens?»

Dans toute relation, beaucoup de problèmes se rapportent à la relation avec soi-même. Ils sont souvent déguisés en problèmes relationnels qui peuvent aussi en provoquer d'autres et même détruire la relation. Permettez-moi de vous citer quelques exemples.

France, fille adulte de deux alcooliques, met présentement fin à un mauvais mariage qui a duré dix ans tandis qu'elle vit une relation très amoureuse avec Ivan, un jeune homme. Pour elle c'est la relation la plus saine qu'elle ait connue. L'un de ses problèmes est qu'il veut la toucher, la tenir dans ses bras avec affection et elle se rend compte qu'elle s'éloigne de lui et que sauf exception, elle éprouve une violente répulsion face à ses attouchements. Il semble que ce soit là une réaction excessive parce que le jeune homme est plutôt doux. Il acceptait même de lui accorder tout l'espace nécessaire, même des moments de solitude.

Bien que peu exigeant dans son approche, il ressentait le besoin de la toucher et d'être touché pour lui exprimer son affection. Il avait été élevé dans une famille qui manifestait ouvertement son affection. Sa réaction négative provoquait des problèmes majeurs dans leur relation.

Puisque sa réaction exagérée était évidente, il fallait piger dans ses antécédents afin d'en découvrir la raison.

Cela s'est manifesté de façon presque inattendue, au moment où sa mère la visitait. Elle était arrivée à midi, avait commencé à boire et avait continué tout l'après-midi. Au fur et à mesure qu'elle s'enivrait, elle multipliait ses demandes à sa fille. «S'il-te-plaît touche-moi, tiens-moi dans tes bras, j'ai besoin de toi. Tiens-moi dans tes bras.» France me confia: «J'ai fait exactement ce que ma mère me demandait, mais j'en avais la nausée. Elle me faisait ça depuis que j'étais toute petite fille.»

Lorsqu'elle m'a mise au courant de cette situation, la source de son aversion devenait nettement limpide. Ce n'était plus un grand secret. Nous étions donc en mesure de le surmonter. Elle en fit part à Ivan. Elle avait besoin de le rassurer qu'il n'était pour rien dans ses réactions — que tout provenait du fait qu'elle était fille de deux alcooliques. Ces paroles allégèrent quelque peu la situation — nous pouvions maintenant com-mencer à changer sa réaction envers Ivan. Si France n'avait pas été capable d'en parler et que le couple ait été dépourvu des ingrédients nécessaires à une saine relation, surtout la possibilité de se voir mutuellement de façon réaliste, le problème aurait certes anéanti leur relation.

Lucie est aussi une personne qui entretient une nouvelle relation qu'elle désire saine pour elle et son partenaire. Lucie, infirmière de carrière, s'est amenée en thérapie avec ses défis comme premier item à l'ordre du jour. Enfant de deux alcooliques, elle n'avait jamais connu une bonne relation. Et elle sentait que seule, elle n'y arriverait jamais. Son ami, un médecin, semblait prévenant, sérieux et intéressé à établir une forte relation et partager sa vie avec elle.

Un bon soir elle se dit: «Eh bien voilà, c'est fini. Je ne veux plus le voir. Je croyais que nous pouvions réussir, mais je me rends compte maintenant que ce n'est tout simplement pas bon.»

«Que s'est-il passé?» lui demandai-je.

«Mercredi soir dernier répondit-elle, nous avions parlé d'aller dîner au restaurant et j'ai décidé que je ne pouvais pas parce qu'il fallait vraiment que je nettoie la maison. Une fois que j'ai une idée en tête, cela en est fait. Je savais que si j'allais dîner, dans mon esprit je ne penserais qu'au nettoyage de la maison et je ne m'amuserais pas. Donc, je lui ai dit: «Je te verrai demain, je vais rester à la maison et ferai du nettoyage.» Une heure plus tard, il revenait avec un bouteille de Lestoil et des mets chinois. Il me dit: «Je savais qu'il te fallait manger de toute façon et j'ai pensé que je pouvais t'aider à faire le ménage.» Pouvez-vous imaginer une telle situation?» dit-elle. «J'ai perdu le nord, je ne me souviens pas d'avoir été si fâchée de ma vie.»

Je lui ai dit: «Ça me semble assez évident qu'il ne voulait qu'être gentil. J'ai l'impression qu'il cherchait une raison pour passer quelques moments avec toi à tout prix.»

Elle répondit: «C'est ce qu'il m'a dit. Ce n'est pas important que tu aies des choses à faire pour autant que je puisse passer quelques moments avec toi.»

Je lui ai dit que je croyais que c'était merveilleux qu'il pense ainsi. Nous avons donc commencé à analyser ses difficultés à accepter une telle gentillesse. Personne ne m'avait jamais dit: «Laisse-moi t'aider. Laisse-moi faire ceci pour toi, simplement parce que je t'aime bien.» Pour elle c'était une expérience étrange. Au cours de son enfance, elle avait mendié dans les rues afin d'éviter qu'elle et son frère soient placés dans un foyer pour enfants et que les autorités découvrent qu'on les négligeait. La bonté de son ami cadrait mal dans ses références, donc plutôt que de l'accepter, elle laissa la colère s'emparer d'elle.

Après en avoir parlé, il lui était possible de comprendre un peu mieux le point de vue de son ami. Il était encore douloureux pour elle d'accepter sa bonté, mais elle était capable d'expliquer sa réaction, même si le pauvre homme se sentait un peu confus. Nul ne pourra comprendre une telle situation à moins d'avoir été l'enfant d'un alcoolique.

Un autre jeune couple se présenta à moi en raison de certains problèmes qu'ils ne pouvaient résoudre. Une fois de plus, le fait que l'épouse était Enfant d'alcoolique se manifestait. L'homme souffrait d'un problème d'hypertension et de stress associé à son travail. Il entendait changer cette situation qui était fréquente dans sa famille. Les médicaments que le docteur lui avait prescrits produisaient beaucoup d'effets secondaires — il préférait donc s'en abstenir. Pour ce faire, il était important qu'il ne réprime aucunement ses sentiments, et ce, d'une façon qui ne lui était pas dommageable. Il s'enfermait dans sa voiture avec les glaces montées et criait à son patron ou aux conducteurs sur la route. Il piquait une colère lorsqu'il ne parvenait pas à ouvrir une des fenêtres. Ses cris étaient inoffensifs pour les autres mais lui étaient bénéfiques en maintenant sa tension artérielle au niveau nécessaire.

Son épouse réagissait cependant très mal. Elle disait: «Je préférerais qu'il cesse de faire cela. Ses cris dans la voiture en tout temps et à la maison m'énervent. Je sais qu'il n'a aucunement l'intention de blesser quelqu'un, néanmoins je ne l'accepte pas. Je ne peux plus vivre avec ça.»

Il décida que plutôt que de déranger sa femme, il mettrait fin à ses séances de cris. Il hésitait aussi à lui confier que crier était bon pour lui. Elle lui rappelait: «N'aie pas peur de me dire ce que tu ressens.» Mais il y avait nettement un double message. N'aie pas peur de me dire ce que tu ressens, pour autant que ce que tu ressens corresponde exactement à ce que je veux que tu ressentes.

Nous nous sommes penchés sur ce problème. Que signifiait-il? Elle me confia: «Je n'ai pas peur de lui, je sais qu'il ne me veut aucun mal. Il n'en est pas question. Je ne sais pas ce qui se passe.» Et tout à coup, il lui vint à la mémoire, à la vitesse d'un éclair, que sa mère se comportait de la même manière que son mari. Elle perdait contrôle, criait, frappait sur les portes, pour aucune raison apparente. C'était traumatisant pour une petite fille puisque sa mère était sa seule source de sécurité.

Lorsque cette femme entendait son mari crier, elle réagissait avec extrême à cause de son expérience. Maintenant qu'ils connaissent l'origine du problème, ils ont une bien meilleure chance de se ressaisir. Ils peuvent en parler et résoudre la question.

Une des choses qui se produit lorsqu'un couple désire sincèrement établir une relation saine et intime, c'est qu'une fois que le processus est engagé, il progresse à son propre rythme. Les deux êtres concernés commencent à prendre plaisir à s'explorer mutuellement et à s'engager, non seulement au niveau de la relation mais au niveau de leur propre personnalité et l'union devient de plus en plus spéciale avec le temps. Les couples qui s'efforcent d'accroître ces aptitudes, même si parfois ils réduisent un peu leurs efforts, sont capables de fonder une solide et intéressante relation. Ils finissent par aimer la communication, tout en reconnaissant qu'ils n'avaient jamais su comment y arriver. Cette connaissance leur apporte les éléments nécessaires afin de progresser ensemble dans la voie du succès, de s'offrir mutuellement et de se réaliser pleinement comme êtres humains.

À ceux et celles qui se posent des questions sur leur sexualité, j'affirme qu'elles proviennent du manque d'information. Le remède est loin d'être compliqué. Il existe une quantité de bons livres sur le sujet. *Our Bodies, Our Selves* (Notre corps, nous-mêmes) offre beaucoup d'information — exprimée de façon précise et franche. Il existe une bonne quantité de livres techniques et autodidactes. Pourquoi ne pas en faire la lecture afin de vous familiariser avec des façons différentes de faire l'amour?

La relation physique que vous vivez avec une autre personne est fondée non seulement sur les connaissances techniques que l'on peut acquérir mais touche une dimension encore plus enrichissante. La relation physique constitue une forme de communication. Toutes les caractéristiques attribuées à l'enfant d'un alcoolique devenu adulte, peuvent affecter la relation sexuelle. La qualité de la démarche sexuelle chez un couple est symptomatique de toute autre situation dans la relation.

Au fur et à mesure que l'on progresse, comme être humain, et que l'on est en meilleure position de se rapprocher de la variété des différents paliers, on est aussi capable de communiquer sexuellement de façon plus satisfaisante. La relation sexuelle n'est qu'un élément de l'image. Elle trouve sa place, comme toute autre chose dans la vie.

Votre confusion concernant les rôles sexuels, la masculinité et la féminité ainsi que les comportements appropriés envers le sexe opposé sont des points qui concernent tout le monde. Elle n'est pas exclusive aux Enfants d'alcooliques. Nous traversons une période où les normes sont imprécises. Les formes traditionnelles l'emportent sur les non traditionnelles. Même avec cette tendance, tout est incertain puisque ces normes fonctionnent en même temps. Donc, si vous éprouvez un certain excès de pudeur ou de modestie, vous êtes en excellente compagnie.

Il fut un temps où le rôle du mâle et celui de la femelle étaient clairement définis. Cela était vrai au travail, à la maison et dans leur chambre à coucher. Ce n'est plus le cas et même les définitions changent.

La seule façon d'être rassuré sur ce fait c'est de découvrir ce qui fonctionne bien pour vous — Voilà le message essentiel du présent ouvrage. Découvrez l'être humain que vous êtes; soyez fier de ce que vous êtes et soyez disposé à agir en conformité. De cette façon, vous serez une personne toute entière. Vous bénéficierez d'une santé totale et vous serez libre tout au long de votre vie.

8. Les Enfants d'alcooliques agissent avec excès devant les changements qu'ils ne peuvent contrôler.

Superficiellement, les Enfants d'alcooliques semblent être des personnes très strictes. Ils sont portés à désirer les choses à leur façon... et pas autrement. Il en est peut-être ainsi partiellement, mais la vérité est toute autre. Les ajustements qui il semblent faciles aux autres sont énormes pour l'Enfant d'alcoolique.

Je me souviens que Martha était en proie au désespoir parce que ses plans d'aller visiter la ville se sont effondrés à la dernière minute lorsque ses amies ont décidé de faire autre chose. Pour elle, c'était un revers colossal. Joan s'est mise à pleurer parce que quelqu'un de son entourage était en retard. Il n'est pas arrivé très tard, mais la seule idée d'être en retard lui était inacceptable. À un certain moment, un autre Enfant d'alcoolique avait accidentellement décroché son téléphone. Elle se mit à croire qu'on la punissait — une épreuve accablante.

Ces choses ne semblent pas énormes en surface. Pourtant, si vous lisez ces lignes et que vous êtes un Enfant alcoolique, vous comprenez l'ampleur de la situation.

Il s'agit là de réactions excessives, généralement associées au passé d'une personne. Quelque chose du genre s'est produit plusieurs fois, généralement au cours de l'enfance. Un incident apparamment sans conséquence qui se manifestait comme la goutte d'eau qui fait déborder le vase. L'être humain revit les situations qui ne se sont jamais réalisées, les promesses qui n'ont jamais été respectées et les punitions qu'il ne pouvait associer à son crime.

Voilà ce qui se produit quand les plans d'aller visiter la ville sont dérangés, lorsque quelqu'un est en retard, lorsque le téléphone est débranché accidentellement. La douleur ressentie au moment de l'enfance refait surface au moment présent et *personne, personne* ne vous fera ça de nouveau.

Pour saisir le problème, il faut une grande connaissance de soi. La première chose à faire c'est de reconnaître le moment où l'on agit avec excès. Il se peut que l'on puisse y parvenir. Il suffit de déterminer si la réaction est inappropriée à la circonstance; si quelqu'un, dont on respecte l'opinion, nous laisse entendre que l'on réagit avec excès; si le raisonnement est devenu irrationnel; si la situation demande une réaction aussi forte. Que répondez-vous lorsque quelqu'un vous demande: «Le problème était-il aussi écrasant que vous le croyiez?»

Si vous êtes sur la défensive, devant une telle question, vous avez agi avec excès. Sinon, vous devez vous poser la question: «Quelles étaient les circonstances qui rendaient la situation si lourde»? Quelle importance que le changement se soit effectué sans votre participation? Et qu'est-ce que tout cela signifiait pour vous? Quand cela s'est-il produit auparavant?

Le manque de connaissance provoquait la sensation qu'on vous avait intentionnellement infligé un affront. L'extension de cette sorte de pensée constitue une attitude paranoïaque envers la vie. «On veut ma peau, parce qu'ils ont changé les plans à la dernière minute, ou ils étaient en retard, ou ils ont débranché le téléphone volontairement ou accidentellement.» Cette attitude extrême peut naître si vous ignorez que vos réactions excessives résultent de vos antécédents.

La première et la plus significative façon de surmonter cette tendance, c'est d'avoir de plus en plus conscience de ces excès et de déceler l'événement passé qui les a déclenchés. Une autre façon est de modifier volontairement la routine normale. Passez une journée en revue. Êtes-vous emprisonné(e) dans toutes vos méthodes d'agir? Pouvez-vous rentrer dans la maison d'une autre façon? Cette semaine, est-il possible de faire vos emplettes jeudi plutôt que mercredi? Pouvez-vous déplacer les choses autour de vous sans tout bouleverser?

Vous vous rendriez possiblement compte qu'il est plus difficile que l'on croit de s'extirper d'une routine. C'est cependant un point de départ raisonnablement flexible. Cette maniabilité de caractère aura pour effet de généraliser les autres secteurs. Vous serez surpris de constater l'adaptation à une routine et la structure méticuleuse de vos journées. Vous pourrez, à l'occasion, lancer tout en l'air et vous mettre à courir dans une autre direction, tout comme si vous vous insurgiez contre vous-même. Mais, en termes de conception globale, vous serez probablement devenu très routinier. En assouplissant cette dimension de votre vie, vous en ferez de même avec votre personnalité et serez en mesure de reconnaître les choses que vous acceptez et celles que vous réfutez. Cela ne veut pas dire que vous êtes obligé d'aimer tout ce qui se produit. Il n'est pas nécessaire que vous soyez un Enfant d'alcoolique pour être désappointé lorsqu'un changement imprévu se produit, sauf que vous ne serez plus anéanti et c'est peut-être là toute la différence. Il n'est pas nécessaire qu'une situation affecte tout votre être.

9. Les Enfants d'alcooliques cherchent constamment l'approbation et l'affirmation.

La question ici en est une de confiance en soi. Il existe une multitude de façons de devenir plus confiant en nos aptitudes.

La première c'est l'intérêt que l'on porte à l'appui et à l'encouragement des gens. Les Enfants d'alcooliques recherchent constamment cette aide, sans pouvoir l'utiliser. Il est difficile de faire confiance quand on a appris qu'elle n'apporte que de la douleur; de faire confiance lorsque le message reçu, au cours de l'enfance, est inconsistant. Vous avez peut-être été programmé à ne pas faire confiance, mais croire ce qui est dit n'est pas nécessairement ce que cela veut dire. Les adultes ne disaient pas ce qu'ils voulaient dire, ni ne disaient ce qu'ils croyaient sincèrement, ce qui rend la confiance excessivement difficile à accepter. Donc, lorsque quelqu'un vous témoigne son encouragement, il est très difficile pour vous de le ressentir, de l'accepter et de l'utiliser.

De ce fait, vous continuez à le rechercher parce que vous éprouvez beaucoup de difficulté à l'intérioriser. C'est seulement après avoir été bombardé d'encouragement à ne plus pouvoir le rejeter que vous commencerez à y croire.

Donc, la première étape est de décider que vous allez prendre le risque de laisser une partie de cet appui et de cet encouragement pénétrer à l'intérieur de votre moi. Commencez par identifier les gens auxquels vous pouvez faire confiance, selon certains critères que vous aurez possiblement établis comme suit: cette personne vous connaît-elle vraiment bien? Est-ce une personne avec qui vous avez beaucoup de contacts? Jusqu'à quel degré cette personne vous accepte-t-elle comme vous êtes? Jusqu'à quel degré vous fait-elle confiance? Jusqu'à quel point acceptez-vous l'autre personne? (Il sera peut-être ainsi plus facile pour vous d'accepter le jugement de l'autre personne.) Cette personne est-elle experte dans le domaine où elle offre son appui et son encouragement? Voilà les questions que les gens se posent lorsqu'ils tentent de décider s'ils peuvent accepter ou non la confiance et l'assistance de quelqu'un.

Une jeune personne qui n'était pas Enfant d'alcoolique m'a confié: «Je fais les choses différemment. L'appui et l'encouragement constituent une bonne source d'énergie que j'utilise afin d'être capable d'accomplir encore plus. Je prends ces bonnes sensations et les utilise afin de les sentir encore un peu plus... et ça me plaît.» Elle ne se sentait pas obligée de juger. Pour une raison ou une autre, lorsqu'on lui proposa: «Essaie-le. C'est une bonne idée» elle décida: «Pourquoi pas?»

Alors que vous vous affairez à devenir plus réceptif aux encouragements des autres, vous avez aussi besoin d'accroître votre confiance en la personne que vous êtes. Voici quelques façons de faire démarrer ce processus.

Demandez-vous ce que vous avez fait aujourd'hui qui vous a plu. La réponse à cette question peut être rapide ou lente. Ensuite, demandez-vous ce qui s'est produit au cours de la journée. Y a-t-il eu une chose, petite ou grande, que vous pouvez qualifier de succès? Repassez la journée en revue. Vous ne vous êtes pas levé en rouspétant et cela pourrait constituer une réalisation pour vous. Vous êtes arrivé au travail à temps et c'est peut-être quelque chose qui ne vous arrive pas souvent. Quoi que ce soit, ne le rejetez pas. Ne refusez pas les petits honneurs du succès, simplement parce qu'une autre personne peut en faire autant. Cette fois, c'est vous qui en êtes responsable, c'est donc *votre* succès.

Il vous faut continuer à faire votre possible, tout en vous attribuant le mérite de vos réalisations. Votre confiance en vous-même se décuplera devant l'accomplissement des tâches que vous vous étiez attribuées. Il se peut qu'elles eussent été simples, ou monumentales, mais prenez l'engagement de mener à bien les tâches, une fois que vous les jugez réalistes.

Dans le cas d'un travail ardu, pratiquez la perfection plutôt que de projeter une catastrophe. Si vous devez vous présenter pour une entrevue d'emploi, ne perdez pas votre temps à vous affoler. Répétez votre rôle comme un comédien. Répétez devant un ami de sorte que la situation ne soit pas complètement nouvelle au moment de l'entrevue. Ne perdez pas de temps à penser à la faillite ou à la réussite. Consacrez-vous au moment présent.

Il se peut que tout ne fonctionne pas complètement. Mais si cela se produit, c'est magnifique et ce n'est pas le fruit du hasard. Vous étiez responsable de ce succès. Si le contraire se produit, sortez et tentez quelque chose de nouveau. Il n'est pas nécessaire de vous sentir anéanti. Vous n'êtes pas responsable de tout ce qui ne fonctionne pas, ou de tout ce qui fonctionne — ce n'est pas une question de coïncidence.

Jour après jour, les gens passent à mon bureau et disent: «Les choses ont très bien fonctionné» et ils sont ébahis. Je les regarde et j'ajoute: «Ce n'est pas un accident si tout s'est bien déroulé. Vous travaillez sur ce point depuis plusieurs semaines. Vous aviez décidé que les choses iraient bien et quand cela se produit, c'est généralement le résultat de votre bon travail. Étape par étape, un peu à la fois — c'est loin d'être un accident.»

Voilà quelques façons de faire grandir sa confiance en soi — par de petits succès et en les reconnaissant. Même les petites choses qui se manifestent facilement ne sont pas sans valeur. Il est donc utile de construire autour d'éléments que vous pouvez structurer solidement. Procédez une étape à la fois, un jour à la fois. Commencez à vous faire confiance et à faire confiance aux autres. Jamais plus vous ne serez en position où vous devez faire confiance à ceux qui n'ont même pas confiance en eux-mêmes. Vous avez maintenant le choix. Vous connaissez maintenant les gens en qui vous pouvez avoir confiance. Vous connaissez maintenant mieux les secteurs où vous pouvez vous faire confiance et où vous ne le devez pas. Vous savez où trouver l'aide — tout ce qui reste à faire c'est de l'utiliser.

10. Les Enfants d'alcooliques se sentent généralement différents des autres.

La sensation d'isolement que vous avez connue au cours de votre enfance a rendu la communication avec les autres extrêmement difficile. Vous désiriez ce rapprochement mais ne pouviez en accepter les conséquences. Maintenant, à l'âge adulte, vous constatez que ces mêmes sensations persistent.

Il est difficile, sinon impossible, de surmonter totalement ce fait, mais il existe certaines façons de réduire l'isolement. Elles demandent certes certains risques et certains efforts difficiles mais nécessaires. Premièrement, vous devez prendre le risque de partager avec les autres. Cette nouvelle tentative vous permettra de constater que bien que vous soyez unique comme personne, vous n'êtes pas tellement différente des autres.

Découvrez tout ce que vous pouvez sur les sentiments d'Enfants d'alcooliques. Cette démarche vous permettra de comprendre, qu'en somme, vous n'êtes pas différent(e), la compréhension intellectuelle n'est pas apte à changer systématiquement vos sensations, mais elle facilitera votre épanouissement.

Se joindre à un groupe est bénéfique. Cela peut être avec des Enfants d'alcooliques devenus adultes, ou tout groupe de personnes qui partagent leurs pensées et leurs sentiments.

139

Puisque tous vos sentiments ne sont pas reliés à vos antécédents, il serait utile de découvrir ceux qui le sont et ceux qui ne le sont pas. Vous ne trouverez aucun groupe qui ne comporte pas d'Enfants d'alcooliques. Vous ne serez jamais la seule personne, pourtant, on partage rarement ce fait.

Lorsque je parle de risque, je veux dire qu'il faut que vous vous avanciez. Ce risque veut dire que vous aurez à laisser les gens découvrir qui vous êtes tout en leur fournissant l'occasion de mieux vous connaître. La récompense: une meilleure connaissance d'autrui et un plus grand sentiment d'appartenance. Pour vous, c'est le déclin de la solitude au milieu d'une foule.

La seule façon d'obtenir les choses que vous désirez vraiment c'est de les donner. Si vous cherchez l'amour, offrez-le aux autres. Je sais que si j'ai besoin d'être comprise, la meilleure façon de l'être c'est d'offrir ma compréhension. C'est la même chose quand j'ai besoin de me rapprocher. La seule façon de le faire c'est de permettre à cette personne de se rapprocher de moi. Si je peux dire (pas nécessairement à voix haute): «Vous pouvez vous approcher — je n'ai pas peur. Je vous offre mon moi, mon amitié, mon attention. Je vous offrirai les choses que je sollicite moi-même, ainsi, nous réduirons ensemble l'isolement.»

Je ne suis pas sûre qu'on abandonne complètement le sentiment d'isolement. Par ailleurs, je ne suis pas sûre qu'une personne ayant connu ce type d'expérience puisse se sentir complètement rattachée. Mais ce n'est pas seulement les Enfants d'alcooliques devenus adultes qui se sentent quelque peu différents des autres personnes et qui se sentent dissociés d'un groupe.

Par exemple, si vous êtes professionnel ou patron, vous serez isolé des gens qui travaillent pour vous. Ils afficheront une démarche amicale mais vous ne ferez jamais partie de leur groupe. Comme vous occupez un poste plus important, vous vous sentirez isolé du groupe. Et si vous êtes associé à une profession d'assistance, vos clients ne se rapprocheront jamais de vous en tant que personne. Ils vous considéreront comme séparé, éloigné, et ils le font pour leur propre bien-être.

Si vous vous réalisez vous-même, si vous découvrez qui vous êtes et que vous vivez votre vie selon vos conditions, vous vous sentirez à part. La seule façon d'éloigner cette dimension, c'est de faire les choses, de temps en temps, selon les normes du groupe que vous fréquentez. Si vous acceptez les règles des AA, vous aurez probablement l'impression d'être branché aux réunions des AA. Cela se produira également dans les groupes paroissiaux. Vous ne vivrez pas cette expérience en tout temps mais vous vous rendrez compte que vos décisions personnelles ne sont pas tellement différentes de celles des autres membres du groupe.

Il est important de ne choisir que quelques personnes spéciales dans votre vie et de leur offrir ce que vous voulez, de sorte qu'en retour, elles vous offrent ce qu'elles désirent. En prenant le risque, vous saisissez l'occasion de changer des choses — en ne le prenant pas, c'est l'isolement.

L'essayer une seule fois ne suffit point. Permettez-vous, chaque jour, de façon modeste, de tendre la main à une autre personne, soit en apprenant à la connaître mieux, soit en lui laissant découvrir la personne que vous êtes vraiment. Ainsi, vous engendrerez un processus d'interaction et tenterez d'accepter ce qui vous est offert.

11. Les Enfants d'alcooliques sont démesurément responsables ou irresponsables.

La question ici, c'est le besoin d'être parfait. «Si je ne suis pas parfait, je ne suis rien. Si je ne suis pas parfait, on me rejettera. Je serai abandonné. Je sais que je ne suis pas parfait mais si je m'efforce, nul ne le saura. Donc, je deviendrai l'employé parfait, l'épouse parfaite, le parent parfait, l'ami parfait, l'enfant parfait. J'aurai toujours l'air parfait. Je dirai toujours la bonne chose au bon moment. Si je suis parfait, mon patron m'aimera, mes parents m'aimeront, mes amis m'aimeront. Tout ce qu'il s'agit de faire, c'est d'accomplir tout ce qu'on me demande et d'en faire davantage. Tout ce que je dois faire c'est de tout faire. Mais de grâce, ne leur demandez pas de me regarder de trop près!»

On ressent déjà la tension à la simple lecture de ces énoncés! C'est énorme. La tâche de se modifier est aussi énorme. Lorsqu'on est pas le «super réalisateur», mais plutôt l'irresponsable, le changement est énorme, mais on l'exprime plus facilement. L'envers du décor c'est: «Si tout cela est vrai, pourquoi s'en inquiéter?»

Il se peut que les gens vous aiment comme il se peut qu'ils ne vous aiment pas. La personne parfaite contrarie les gens autour d'elle parce qu'ils ne peuvent pas concurrencer, mais d'autres vous aiment lorsqu'ils aiment l'image que vous projetez. Que vaut l'amour pour vous? Il vous faut continuer à être stressé afin de le maintenir. S'ils vous aiment et vous connaissent vraiment, les chances sont qu'ils ne s'enfuiront pas s'ils vous voient en bigoudis.

C'est là où se cachent les risques. Bon nombre de personnes super responsables se rendent malades afin d'arrêter. Pour eux, c'est la seule issue et elle est très prévisible. Elles donnent, elles donnent et elles en acceptent de plus en plus jusqu'à ce qu'elles soient complètement vidées et tombent malades. En effet, c'est l'épuisement total. Elles ne peuvent trouver une méthode acceptable.

Éric est un parfait exemple. Il se remet lentement d'un terrible accident d'automobile dans lequel il a été impliqué il y a deux ans. Il est nouvellement marié, avec de jeunes enfants et de nouveaux problèmes. Il s'engage dans une nouvelle carrière et cherche du travail.

Par surcroît, il a invité sa mère, veuve depuis quelque temps et déprimée, à venir habiter chez lui. Il a décidé d'être responsable des soins émotifs d'un frère qui vient de rompre une relation et d'un autre frère qui tente de se libérer d'une dépendance aux drogues, en plus de satisfaire tous les caprices de sa belle-mère. J'ai déjà parlé d'expressions visant à adoucir la tension: «Si je ne le fais pas, qui le fera à ma place?»

Éric, hélas, en était venu au point où il ne pouvait plus suffire à la demande. Son corps refusait de descendre du lit. Pour tous les gens dans sa vie, il avait l'air d'un homme malade. Il l'était, malade, et cela leur donnait l'occasion d'être responsables. Chacune de ces personnes s'est mise à s'occuper de sa propre vie, ce qui lui a donné l'occasion de cesser d'être un surhomme. Pourtant, il lui a fallu se rendre malade pour y arriver.

Lyne est dans la même situation. Elle est divorcée et habite avec sa mère alcoolique qui boit toujours. Elle est mère d'un enfant et elle est en relation avec un homme qui en a cinq. En plus de son travail à temps plein, elle s'occupe de la maison et des enfants de son ami, ce qui signifie qu'avant d'aller travailler et d'aller mener son fils à l'école, elle doit s'arrêter dans une autre maison, tous les matins, et préparer les lunchs, nettoyer les vêtements et conduire tout ce beau monde à l'école.

Lyne n'était devenue ma cliente que depuis quelques semaines lorsqu'elle se fractura la cheville. Je lui ai souligné qu'il ne s'agissait pas d'un simple accident. La seule façon pour elle de ralentir son rythme, la seule façon dont elle pouvait cesser de se prouver toutes sortes de choses, c'était de se retrouver dans l'incapacité de travailler. Il n'est pas surprenant que son amant soit fâché qu'elle se soit blessée, et qu'elle analyse sa relation avec beaucoup plus d'attention. Sa mère a maintenant une raison de ne pas boire pendant un certain temps; elle pourra jouer à la mère. Et Lyne peut commencer à trouver les façons d'être un peu moins responsable.

Afin d'aider ces deux personnes à vivre de façon réaliste, il a fallu les encadrer de lignes directrices spécifiques. Dans le cas de Lyne, ce fut assez simple. Son fils a souffert d'urticaire. Elle m'a promis qu'elle ne reprendrait pas sa relation avec son amant avant que son fils ne soit complètement guéri. C'est précisément cette promesse qui lui a permis de changer sa vie.

Dans le cas d'Éric, les membres de sa famille étaient devenus très inquiets de sa santé et ils lui promirent de l'aider et de trouver eux-mêmes les moyens de régler leurs problèmes. Il était devenu trop pratique pour tous. Voilà comment ses choses à lui ont changé.

Dans les deux cas, quelqu'un avait pris le contrôle et avait apporté son concours. Les choses ne se produisent pas toujours ainsi, mais à moins de donner une chance aux autres, il est peu probable que cela se produise. Il n'est pas nécessaire d'attendre de se retrouver dans une telle situation pour tenter de régler le problème. Une bonne partie de vos problèmes peut provenir de votre difficulté à évaluer vos propres possibilités. Vous n'avez peut-être pas évalué ce qu'une autre personne peut attendre de vous, en toute justice. Il est aussi possible que vous n'ayez pas appris comment déléguer la responsabilité.

Si vous regardez d'abord votre travail, il est important que vous établissiez certaines lignes directrices spécifiques et personnelles. Jusqu'à quelle heure suis-je disposée à travailler? Quand le moment est-il venu de tout lâcher et de rentrer? Vérifiez ces faits avec les autres — voyez ce qu'ils font. Passez en revue la description de votre poste. Quelles sont les attentes de vos supérieurs? Que considérez-vous raisonnable; de juste? Quel est votre niveau de responsabilité au travail et celui des autres? Quels sont les éléments faisables et les choses impossibles? Ces secteurs ont vraiment besoin d'être étudiés minutieusement. Il est aussi important d'en discuter avec une autre personne.

Une des circonstances les plus monstrueuses que j'ai connues concerne une femme qui avait quitté le travail pour se rendre au chevet d'un proche qui agonisait. Pendant qu'elle était à l'unité des soins intensifs à l'hôpital, son patron lui téléphona et lui demanda de retourner au travail à cause d'une heure d'échéance. Comme elle était l'enfant de deux alcooliques, elle ne savait comment juger ce qui était approprié et retourna au travail. Il va sans dire que j'étais sidérée. Elle ne connaissait tout simplement pas la réponse à la question: «Suis-je vraiment obligée de retourner?»

Lorsque quelqu'un vous demande de faire quelque chose, posez-vous la question: «Suis-je obligé de le faire? Est-ce que je veux vraiment le faire?» La réponse n'est pas toujours «non» mais «non» constitue une option qui est toujours disponible.

À l'été, au moment où j'étais en Israël, en visite avec un groupe, il faisait 115 degrés et les visiteurs se sont mis à escalader un mont afin de voir Jericho — un amas de ruines. Je les ai suivis, mais je me suis arrêtée et me suis dit: «Un instant! Je ne suis pas obligée de les suivre!» Certains d'entre eux m'ont regardée avec surprise, alors qu'une femme faisant partie du tour ajoutait: «Vous savez, vous avez parfaitement raison. Je ne suis pas obligée de le faire non plus!» Plus tard, au moment où nous étions entassés dans un funiculaire sur les pentes du Masada, elle s'est tournée vers moi parce qu'elle avait une peur terrible des hauteurs et me confia: «Suis-je obligée de suivre?» Puisque nous étions à mi-chemin, il n'y avait pas d'autre choix.

«Suis-je obligée de faire ceci?» constitue une question qu'on doit se poser. En cas de doute, on peut toujours en discuter avec quelqu'un à qui on fait confiance, et non à quelqu'un qui aurait intérêt à nous voir accomplir la tâche.

La prochaine chose qu'il vous faut apprendre c'est de dire non lorsque vous en êtes venu à cette décision. C'est très difficile à faire, cela demande de la pratique et il faut prendre un risque. Les gens n'aimeront peut-être pas vous entendre dire non mais accepteront ce choix parce qu'il fait partie de la personne que vous êtes. Considérez les conséquences possibles et soyez prêt à vivre avec votre décision. Le jeu en vaut-il la chandelle? — quel est votre but de dire non?

Il se peut que vous ne vouliez pas vous empresser de dire «non.» Il se peut que vous ne vouliez pas le faire de façon aussi compulsive que vous avez traité d'autres sujets. Plutôt, vous déciderez peut-être de gagner du temps en disant: «Je ne peux décider présentement, nous y reviendrons.» Si la personne insiste pour obtenir une réponse immédiate, vous pouvez toujours ajouter: «J'ai besoin d'y penser.»

En vous accordant un peu de temps afin de penser au «non», il devient plus facile, si cela correspond vraiment à ce que vous ressentez. Vous aurez aussi le temps de planifier une alternative. Gagner du temps vous aide à en venir à une décision responsable et votre entourage sera satisfait.

Si vous y pensez, et qu'une partie de votre message intérieur est (puisque vous êtes un super performant): «Peut-être que je pourrais l'inclure dans mon horaire» la prochaine question à vous poser serait: «Est-ce que je veux le faire?» C'est peut-être là la clé. «Est-ce que je vais le faire?» ou «Y a-t-il quelque chose que j'aimerais mieux faire de mon temps?» Il se peut que vous préféreriez ne rien faire et cela peut être aussi important pour vous que toute autre chose, si vous avez choisi que vous ne voulez rien faire et non parce que vous en êtes arrivé au point où vous n'avez plus d'énergie.

Être super irresponsable peut produire une chose ou l'autre. La première c'est que vous avez décidé de ne rien commencer, et la deuxième résulte peut-être du fait que vous êtes épuisé. Bien que les résultats des deux situations se ressemblent, ils sont différents et doivent être considérés de façon différente. Si vous êtes épuisé, vous devez prendre le temps de vous reposer et de vous remettre. Peut-être choisirez-vous de vous retirer pendant un certain temps et il n'y a rien de terrible à en venir à cette décision. Il vous faut du temps pour ramasser les pièces, guérir, avant de foncer de nouveau. Cependant, dès que vous aurez recouvré l'énergie, vous aurez peut-être besoin de vivre de façon plus mesurée.

En vous rétablissant, vous aurez besoin de vous occuper complètement de vous-même et vous aurez même à apprendre comment le faire. Pensez aux choses qui vous apportent un certain bien-être. Il se peut qu'une visite à une clinique pour les gens qui souffrent d'épuisement vous aide à découvrir les méthodes spécifiques qu'ils utilisent pour se rétablir. Il vous faut commencer à apprendre comment absorber l'énergie, non seulement pour donner mais aussi pour recevoir.

Regardez de près les gens qui vous entourent, la nature de vos relations. Recevez-vous autant que vous donnez? Êtes-vous entouré de gens ayant la force de vous offrir autant que vous leur offrez? Il se peut que si vous regardez avec soin, vous découvrirez que vous êtes entouré de gens qui vous vident mais ne vous donnent rien en retour. Vous aurez peut-être à changer cette situation en développant une relation avec des gens qui ont autant à vous donner que vous avez à leur donner. Vous avez joué au surhomme et le moment est maintenant venu de laisser les autres vous aider de sorte que vous puissiez reprendre vos forces.

Cette fois, vous devez le faire de façon plus réaliste, en n'étant pas tout, pour tous les gens, en tout temps. Vous vous rendrez compte que la récompense n'en vaut pas la peine. On apprécie rarement un martyr au cours de sa vie.

Des gens super responsables ont tendance à se faire exploiter. Et étrangement, c'est presque une demande de leur part. Donc, cette fois, au moment où vous planifiez votre vie, assurez-vous que nul ne sera en mesure de vous exploiter. Prenez conscience que l'on vous rémunère pour votre travail et relevez tous les éléments que vous pouvez.

Jen a fait exactement cela et, une fois qu'elle a découvert qu'elle ne pouvait plus travailler dans de telles conditions, elle confronta son patron. Elle avait décidé qu'elle préférait perdre son emploi plutôt que de permettre à qui que ce soit de l'exploiter. Elle s'en est bien tirée. Son employeur lui a accordé ce qu'il jugeait raisonnable. Le dénouement n'est pas toujours le même, mais votre amour-propre en vaut certes la peine.

Si votre taux d'irresponsabilité est très élevé et qu'il ne résulte pas d'un épuisement total, mais plutôt de votre manque d'accomplissement, le problème est quelque peu différent. Le seul fait d'avoir décidé de lire ce livre indique que vous êtes disposé à un changement. Voilà un problème difficile. Vous aurez probablement besoin de définir ce que vous voulez faire.

Vous aurez peut-être à vous orienter dans une direction et accepter, au début, des succès limités. Il serait peut-être utile de tester les domaines qui vous intéressent comme, possiblement, retourner aux études. Ce peut être une bonne idée de le faire avec une bonne orientation professionnelle — afin de tracer un parcours avec une personne qui comprend les difficultés psychologiques que vous traversez en tentant de devenir plus responsable et moins craintive du succès que cette démarche comporte. Vous n'y arriverez possiblement pas seul(e), mais vous pourrez certes mettre le processus en marche. Par ailleurs, si vous paralysez au moment où les choses commencent à fonctionner pour vous, vous découvrirez peut-être, à l'instar d'un de mes clients, que vous pouvez atteindre un certain point et pas plus. Il s'est retrouvé sur le campus de l'université, sans pouvoir se rendre au bureau d'inscriptions. Il pouvait remplir toutes les demandes mais ne pouvait se rendre en entrevue.

Vérifiez la distance que vous pouvez parcourir seul(e), mais il se peut que votre démarche nécessite une certaine assistance. Cela ne veut pas dire que vous êtes malade, mais plutôt que devant un tel obstacle, vous avez compté sur une assistance professionnelle afin de le franchir. La décision de «faire» constitue probablement la partie la plus difficile.

12. Les Enfants d'alcooliques sont extrêmement loyaux, même lorsqu'une telle manifestation de loyauté est imméritée.

La loyauté est une qualité on ne peut plus admirable. Pourtant, toute qualité extrême ne vous est pas nécessairement bénéfique. Vous êtes aveuglément loyal(e) envers tous ceux avec qui vous entrez en contact et qui touchent votre vie. Votre loyauté s'étend à vos amours, à vos amis, à la famille et à vos employeurs. Vivre avec vous une telle relation constitue une valeur inestimable et vos craintes d'abandon rendent presqu'impossible tout abandon des autres.

Si vous êtes associé à des gens qui vous ne traitent pas d'une façon que vous jugez convenable, il est important de repenser votre loyauté. Il se peut qu'elle ne soit pas appropriée. La loyauté n'est pas une dette automatique. Les relations dont je parle sont celles où vous vous posez les questions, jour après jour: «Pourquoi m'en soucier? Pourquoi les maintenir? Est-ce que cela en vaut la peine? Pourquoi suis-je idiot à ce point? Pourquoi ne puis-je lâcher prise?»

Pour rompre les liens que vous ne désirez plus, vous pouvez suivre plusieurs étapes. La première est de préciser la réalité de la situation et de vous poser la question: «Quelle est la nature de cette relation? Que se passe-t-il en ce moment?» Ensuite, vous entendrez formuler «Mais, mais...» Lorsque les «mais» commencent, vous n'êtes plus associé au moment. Vous n'êtes plus au milieu de la réalité mais plutôt dans une fantaisie du passé ou du futur. «Pourquoi ne peut-il pas en être ainsi?»

Ce ne peut être ainsi parce que ce n'est plus comme c'était. Il vous faut comprendre la différence. Au stade initial de la réalité d'une relation, les gens se traitent souvent d'une façon différente qu'après que la relation soit devenue routinière. Ce n'est peut-être pas votre cas mais ce l'est pour d'autres. Vous présumez donc que si il ou elle ne vous traite plus comme au début, vous en êtes la cause. «Si seulement vous pouviez dire ou faire la chose appropriée, la vie redeviendrait ce qu'elle était». Ce n'est pas réaliste.

Au fur et à mesure qu'une relation se développe et que les gens apprennent à mieux se connaître, la relation DOIT changer. Elle peut devenir plus éloquente ou moins éloquente. Les gens peuvent être pleins d'égards envers vous ou moins portés à vous plaire. Bon nombre de choses se produisent. Rien ne demeure inchangé: ce qui existait au début n'existe plus.

Si vous croyez que vous pouvez tout simplement traverser une période difficile, et que les choses redeviendront merveilleuses, ce n'est pas réaliste.

Vivre dans le futur est une mauvaise idée, puisque nul ne peut prédire le futur. Lorsqu'un couple jouissant d'une saine relation traverse une période difficile, il partage les sentiments de l'un et de l'autre. Si chacun range son agressivité, les deux peuvent en parler et empêcher qu'un moment désagréable se reproduise.

La quantité d'énergie que l'on investit dans une relation constitue une importante considération. Lorsqu'on commence à se retirer, à réclamer plus d'égalité dans la relation, certaines choses intéressantes commencent à se manifester. Si l'on regarde objectivement ce qui s'est produit au cours des stades initiaux de la relation, on se rend compte qu'on y a consacré beaucoup d'énergie. C'est votre façon à vous et cela vous plaît.

L'autre personne a réagi. Ensuite, chemin faisant, vous avez peut-être ressenti vous-même un besoin. Vous avez peut-être fourni un peu moins d'énergie et l'autre personne s'en est offusquée. Il est peut-être temps qu'il, ou elle, cesse de vous traiter de la façon dont vous vouliez être traité. C'est possiblement le moment où vous commencez à être malheureux(se) — lorsqu'on se retire un peu, et qu'il ou elle ne s'alimente plus de notre énergie.

Je connais un homme dans cette situation. Lorsque sa femme, enfant d'un alcoolique, a retiré de son énergie, les gens ont commencé à le voir comme «diminué». Elle lui avait tellement donné que lorsqu'elle diminua son rythme, il avait l'air affaibli.

151

La première étape visant à décider si votre loyauté est appropriée ou non, c'est d'être réaliste et d'analyser les composants de la relation, sans se laisser revivre le passé, ou de faire des projections dans l'avenir. Seul le présent est réel. Posez-vous la question: «Quelle est la meilleure chose pour moi? Ma loyauté envers la personne est-elle celle du moment présent?»

Beaucoup de loyauté est nécessaire lorsqu'il s'agit d'une relation avec un enfant qui traverse une étape terrible, ou avec une personne qui est très malade et ne peut plus offrir ce qu'elle offrait jadis. Vous avez peut-être le désir de demeurer loyal mais ressentez le besoin de prendre une décision avertie. Il faut vous dire: «J'aime Janine. Je vais demeurer près d'elle. Je lui serai loyal, même si elle est nuisible pour moi en ce moment. Je serai prudent. Je me protégerai en espérant que tout rentrera dans l'ordre.»

La chose suivante à faire si vous voulez prendre une décision au sujet de votre loyauté sans qu'elle soit automatique, c'est de vous dire: «Que reste-t-il pour moi? Quel est l'avantage? Pourquoi maintenir cette relation? Qu'est-ce que cette autre personne représente pour moi?» Les réponses à ces questions sont fréquemment surprenantes. Vous découvrirez peut-être qu'une personne représente quelqu'un d'autre dans votre vie. Votre amant(e) pourrait fort bien ressembler à un parent alcoolique au moment de votre évolution. Il se peut que vous répétiez un mode de vie qui vous est familier, que vous n'avez pas encore rompu les liens primaires et que vous soyez encore en stade de formation.

En quoi cette personne est-elle comme vous? Avez-vous été attiré vers une autre personne qui vous ressemble beaucoup? Quelle est cette personne? Que représente cette personne pour vous?

Après avoir trouvé les réponses, vous devez commencer à vous séparer d'elle. Vous devez commencer à reconnaître où elle se termine et où vous commencez. Vous devez faire la différence entre ce qui se rapporte à elle et ce qui se rapporte à vous. Lorsque ces éléments sont précis, l'emprise de cette personne sur vos sentiments diminuera.

Les gens qui ne sont pas dignes de notre loyauté trouvent souvent des choses à redire contre nous. Ils consacrent beaucoup de temps à nous rappeler ce qui ne va pas chez nous. Soyez prudent(e) lorsque vous entendez ces remarques. Si vous décidez d'écouter, assurez-vous de reconnaître la personne dont elle parle vraiment. Ces énoncés se rapportent-ils vraiment à vous, ou cette personne se projette-t-elle sur vous? Soyez attentif afin de percevoir la ligne où cette personne cesse et où vous commencez. Les douleurs, les peines et la colère d'une autre personne n'appartiennent qu'à elle. Vous pouvez éprouver une certaine compassion, une communion d'idées, mais ses doléances ne vous appartiennent pas. Toute loyauté où vous vous perdez et devenez submergé dans les déboires d'une autre personne, n'est pas dans votre intérêt.

Vous êtes peut-être «accroché» par culpabilité dans une relation qui vous est néfaste. Si vous êtes du type facilement manipulé par la culpabilité, vous croyez avoir une dette envers cette personne. Lorsque je demande à mes clients quelle est cette dette, j'entends: «Bien, il/elle a été gentil(le) envers moi. À vrai dire, cette personne se soucie de mon bien-être.»

Vous vous sentez un peu coupable et croyez être redevable de quelque chose — pour des raisons non fondées. Si quelqu'un vous porte attention, c'est simplement parce que vous en valez la peine. Votre amitié constitue un bienfait. Si vous admettez que vous lui devez quelque chose lorsqu'elle vous a donné son amitié, vous dites en fait: «Je n'ai aucune valeur.» Si vous vous retirez, elle tentera de vous imposer une certaine culpabilité. Elle vous confiera qu'elle a besoin de vous et vous éprouverez une certaine difficulté à vous retirer.

C'est peut-être un bon moment où la relation doit changer. Vous pouvez toujours répondre: «Je ne veux pas mettre fin à notre amitié mais je ne peux continuer une relation qui ne me convient pas. Si on peut en parler et si les choses peuvent changer; qu'elles soient bonnes pour nous deux, peut-être que j'y penserai un peu plus.»

Maintenir une relation sans culpabilité représente pour vous un élément qui mérite une analyse méticuleuse. Toute amitié constitue un présent chéri. C'est loin d'être une dette simplement parce que quelqu'un l'a acceptée de vous. Regardez à la loupe ce que vous avez offert et ce que vous avez reçu en échange. Croyez-vous toujours avoir une obligation? Y avez-vous pensé justement de façon réaliste? Avalez ces mais, mais, mais...

Vous pouvez continuer à vivre certaines relations qui ne vous conviennent pas, parce que vous avez peur de la solitude et de l'isolement. Ce n'est probablement pas la dernière occasion d'avoir un ami, une maîtresse, un amant, ou la dernière personne au monde qui s'intéressera à votre bien-être. Vous avez visiblement gonflé la réalité.

N'oubliez pas, vous avez «vous-même», si vous apprenez à mieux vous connaître — n'est-ce pas merveilleux? Être seul avec soi-même peut transformer la crainte en une expérience désirable.

Vous maintenez peut-être une relation parce qu'elle vous procure une certaine supériorité. Si votre partenaire ne vous offre pas tout ce que vous lui offrez, vous pouvez vous sentir plus important(e) et qu'il/elle devrait avoir une dette de loyauté envers vous. En effet, ce que vous dites, c'est: «La seule façon

154

que je puisse bien me sentir, c'est d'être associé à quelqu'un qui est moins que moi. De cette façon, je peux rehausser mon moi. Si cette personne m'est inférieure, je peux m'élever.»

Cela peut constituer une récompense. «Bien que vous ne me traitiez pas au niveau de mes attentes, je me sens supérieur, c'est ainsi que je construis mon amour-propre.» Un aspect que vous devez considérer très attentivement. Même si vous vous plaignez, y a-t-il quelque chose dans cette relation qui vous accorde un certain plaisir?

Vous pouvez croire sincèrement être en amour avec quelqu'un et je n'argumenterai jamais ce point. Si j'avais à le définir, je décrirais cet amour comme une mise en valeur. Si vous et moi partageons une relation amoureuse, c'est une mise en valeur réciproque. Nous sommes beaucoup plus que nous le serions si nous ne vivions pas cette dimension. C'est probablement là que votre loyauté est inappropriée — même si vous la qualifiez d'amour.

Le titre que vous lui avez donné est très important. La question importante est cependant «Est-ce bon pour moi?» C'est un peu comme si nous tentions de découvrir si vous êtes alcoolique, mais je n'aborderai pas ce sujet puisque je ne sais pas si vous êtes alcoolique, pourquoi vous ne buvez pas. Je ne sais pas si vous aimez cette personne, mais pourquoi ne décidez-vous pas tout simplement que personne n'a le droit de vous traiter de façon moindre parce que vous vous aimez vous-même et que vous êtes une des personnes importantes dans votre vie?

Si vous décidez qu'un changement de relation s'impose et que votre loyauté est mieux servie ailleurs, la rupture complète peut s'avérer difficile en raison de vos craintes. Pourquoi vous limiter? Pourquoi ne pas développer d'autres amitiés? Pourquoi ne pas canaliser votre énergie dans d'autres relations, dans lesquelles vous pouvez être plus réaliste? Au fur et à mesure que ces relations se développent, vous pouvez commencer à développer celle qui ne vous convient pas. Il n'est pas nécessaire que ce soit tout ou rien. Il n'est peut-être pas nécessaire d'éliminer complètement cette personne, mais simplement de réduire l'impact de la relation. Un bon nombre de choix sont indiqués dans un bon nombre de directions. Mais, être réaliste au niveau de ce que vous voulez et de la personne que vous voulez constitue un bon point de départ.

13. Les Enfants d'alcooliques, agissent impulsivement. Ils ont tendance à s'emprisonner dans une voie sans prendre sérieusement en considération les comportements alternatifs ou les conséquences possibles. Cette impulsivité mène à la confusion, au dégoût de soi-même et à la perte de contrôle sur leur environnement. De plus, ils consacrent une quantité excessive d'énergie à réparer les dégâts.

Le comportement impulsif dont on parle n'est pas étranger à une crise de colère chez un enfant de deux ans qui désire ce qu'il désire, au moment où il le désire. Le jouet qu'il lorgne est pour lui la chose la plus importante dans son petit monde. Ce n'est pas différent d'un enfant de deux ans qui décide de traverser la rue en courant, au milieu de la circulation.

Un enfant de deux ans retient aussi sa respiration jusqu'à ce qu'il bleuisse. Puisqu'il recherche démesurément l'attention, il est prêt à se punir, à se blesser. Votre comportement n'est pas tellement différent. La seule différence est que vous êtes la seule personne à en être responsable, contrairement à l'enfant qui le relègue à quelqu'un d'autre. Il est fort possible que dans un environnement différent, vous auriez évolué d'une autre façon et que vos désirs vous affecteraient maintenant de façon différente.

Mais ce n'est pas la question qui nous intéresse; il s'agit plutôt de savoir ce que vous ferez afin de ne pas vous comporter comme un enfant de deux ans. Vous savez que son comportement ne peut fonctionner pour vous et c'est peut-être là la seule chose qui vous différencie.

Le secret c'est de vous barrer le chemin à la croisée des routes, contrecarrer vos impulsions jusqu'à ce que vous ayez examiné les conséquences et les alternatives. Il est important de vous ralentir, de sorte qu'une fois placé sur la bonne voie d'action, vous ne serez pas porté à délaisser la raison.

Si vous travaillez avec un conseiller ou un moniteur à qui vous parlez sur une base régulière, vous avez peut-être la chance de gagner un peu de temps. Les exemples qui suivent indiquent comment le problème a été résolu chez certains de mes clients.

L'une d'elles avait vécu plusieurs relations désastreuses avec les hommes. Nous avons étudié exactement ce qui se produisait. Y contribuait-elle? Comment établissait-elle ses choix? Nous avons étudié toutes les issues et en sommes venues à la conclusion qu'elle ne pouvait pas être considérée comme une victime.

Elle m'a appelé un après-midi, juste avant que je parte pour un voyage d'affaires et elle m'a confié: «J'ai trouvé les réponses. Vous et moi regardions aux mauvais endroits. Ce n'est pas que j'ai des problèmes relationnels. J'ai des problèmes avec les hommes. La vérité est, je crois, que j'aurais beaucoup plus de plaisir avec une femme, et je crois que c'est précisément ce que je vais faire. J'ai rencontré une femme et c'est la nouvelle direction dans ma vie.»

La première idée qui m'est venue en tête, c'était: «Que puis-je faire pour ralentir cette situation?» Le sexe de la personne n'est pas le point — lorsqu'on établit un rapport avec un homme, on ne peut en établir un avec une femme. Elle saurait certes compliquer sa vie davantage en entretenant une relation homosexuelle.

Je lui ai demandé si elle pouvait attendre que je revienne de mon voyage. Elle accepta, ce qui était raisonnable. Si c'était, de fait, l'orientation qu'elle voulait donner à sa vie, attendre une semaine ou deux ne ferait aucune différence. Cette période s'est avérée suffisante. Au moment où je suis revenue, ce n'était plus une préoccupation dans sa vie. L'impulsion du moment s'était envolée.

La même chose s'est produite chez Harold. Il m'a appelée pour me dire qu'il détestait son patron et son travail et qu'il se sentait dans le mauvais domaine. Il avait rédigé une lettre de démission qu'il devait remettre à son patron le lendemain matin.

Je lui ai demandé d'attendre qu'on ait révisé la situation ensemble. Il accepta. Ce n'était pas une urgence absolue. Ce devait, bien sûr, se faire prochainement, mais pas nécessairement le matin suivant. Au moment de notre rencontre, sa position avait changé. Il était plus calme et l'urgence s'était dissipée.

Voilà deux circonstances où les principaux intéressés se sont rendus compte qu'ils étaient possiblement sur la mauvaise voie. Il se peut que le comportement qu'ils croyaient rationnel à un certain moment puisse les stresser plus tard. Il m'arrive plus souvent d'entendre une personne me dire ce qu'elle a fait la veille que ce qu'elle fera ce soir.

Pour ceux et celles qui n'ont pas recours à une assistance professionnelle, il existe certaines façons permettant de surmonter soi-même son impulsivité; on la reconnaît en raison de l'énergie impliquée et parce qu'on se sent dominé, poussé, et qu'on ne peut passer à autre chose.

Lorsqu'on éprouve cette sensation, on doit se demander: «Qui d'autre que moi pourrait être affecté par ce comportement?» Je ne propose pas qu'on se dise: «Cela est bon» ou «Ceci est mauvais» ou «Je ne devrais pas faire cela» ou «Je devrais faire ceci», parce que, à ce moment-là, c'est la seule façon de voir les choses, et il n'est absolument pas important qu'on aime le faire ou non.

Ce qu'on doit faire, alors, c'est de regarder les autres personnes impliquées dans ce comportement. Qui d'autre que soi pourrait être affecté par ce comportement? Comment ces personnes seront-elles touchées par certaines réactions?

Il se peut qu'on se fiche de la façon dont on sera affecté au moment où l'action semble prendre le dessus. Le sens du moi semble perdu, bien qu'on croit se réaliser pleinement.

En se posant ces deux questions, on devrait pouvoir suffisamment retarder l'action, s'accorder un peu plus de temps afin d'évaluer les conséquences et les alternatives.

Une décision prise de façon impulsive n'est pas nécessairement toujours mauvaise. Quittez votre emploi, vous recevrez la meilleure chose pour vous. Il se peut aussi que l'homosexualité vous soit préférable. Mais ces décisions doivent être prises avec beaucoup de considération en tenant compte des avantages et des désavantages. Elles doivent être prises avec un esprit ouvert de sorte que vous puissiez vous sentir confortable dans tout ce que vous entreprendrez. De cette façon, vous n'aurez pas à vous répéter: «Je n'aurais donc pas dû agir avec tant d'imprudence.»

Ce qui est bon pour vous ne l'est pas nécessairement pour les autres personnes de votre entourage. Il se peut que penser à eux soit important. Quitter votre emploi parce que vous détestiez votre travail est peut-être une bonne chose pour vous. Pourtant, si vous êtes la seule personne à assurer la survie de vos enfants, ce n'est pas un changement approprié. Si vous croyez qu'un bon nombre de vos problèmes sont causés parce que vous tentez d'être comme tout le monde et que vous êtes marié, toute décision prise à la hâte pourrait être dommageable à votre conjoint(e).

Je ne vous dis pas quelle décision prendre. Je suggère tout simplement que vous trouviez une façon de gagner du temps, de sorte que vous puissiez considérer les implications de vos actions. Dans une telle situation, comme dans tous les autres aspects de votre vie, le choix est important. Dans le cas d'un comportement conscient, de choix bien fondés, et où vous êtes disposé à répondre de vos actions, vous vous sentirez bien dans votre peau, quelle que soit votre décision.

Votre expérience de vie a été que toute promesse qui ne se manifestait pas immédiatement, signifiait tout simplement que rien ne se produirait jamais. Maintenant, vous ne vivez pas dans le même environnement, donc, les règles peuvent changer. Pensez aux choses que vous avez accomplies rapidement et à la gratification immédiate que vous devez recevoir. Quel était l'avantage qui vous incitait à agir si rapidement? Était-ce à votre avantage, à brève échéance? Était-ce à votre avantage, à longue échéance?

Par exemple, plusieurs d'entre vous ont quitté l'école. Quels ont été les avantages? Quelles sont les choses que vous regrettez le plus d'avoir bâties à la hâte? Les choses que vous regrettez sont peut-être celles que vous croyiez désirer sur le moment. Il vous faut analyser votre vie en profondeur.

L'une des meilleures façons d'y arriver est de fantasmer. Où aimeriez-vous vous retrouver dans cinq ans? Avez-vous l'intention de faire la même chose que vous faites présentement? Voulez-vous une nouvelle orientation à votre vie?

Pensez aux étapes nécessaires afin d'y arriver. Ainsi, vous vous rendrez compte que les avantages ne sont pas tous au bout de la ligne. Par exemple, en travaillant pour obtenir un degré universitaire, les avantages n'arrivent pas tous nécessairement le jour de la collation des grades.

Il se peut que certains petits avantages se soient manifestés en cours de route. Pensez-y. Visez ces récompenses. Établissez votre propre système de gratification. Lorsque l'institutrice des cours élémentaires distribuait des étoiles dorées aux élèves qui remettaient des travaux bien faits, cela servait un but. Cela voulait dire: «Vous avez très bien réussi.» Aucune situation ne constitue une proposition «tout-ou-rien.»

Lorsqu'on fait des choses trop rapidement, on se pose parfois les mauvaises questions — on en vient aux mauvaises décisions. «Je veux un divorce» pourrait bien vouloir dire «Je ne veux plus vivre de cette façon.» Ce sont là deux dimensions bien différentes. La décision «Je ne *veux* pas vivre de cette façon» peut se changer en «Je ne *vais* pas vivre de cette façon.» Ce qui ne veut pas nécessairement dire un divorce.

Il se peut que cela change votre mode de vie — solliciter l'aide d'un conseiller ou une foule d'autres choses. Cela peut aussi vouloir dire un divorce, mais pas nécessairement. Si l'on reporte la gratification, on s'accorde la possibilité de découvrir la vraie signification. Vous vous sentirez peut-être un peu suffoqué. Le divorce est peut-être à écarter, mais en prenant de nouvelles décisions concernant votre cheminement personnel.

Je n'irai pas prétendre que la gratification que vous attendez est toujours plus merveilleuse que ce à quoi vous vous
attendiez sur le moment.

Ce serait insensé, irréaliste. Parfois, la gratification tardi-
ve est plus merveilleuse, l'expérience plus enrichissante,
quoiqu'un peu dépourvue de l'exaltation associée à l'accomplissement d'une chose au moment où vous l'aviez décidée.

La gratification immédiate ne se ressent pas toujours sur le
moment, bien qu'elle soit sensationnelle. Quitter l'école en
sachant qu'on n'aura plus à revoir le professeur de géométrie,
c'était formidable. Ce dessert riche et crémeux qu'on a mangé
hier soir était délicieux. La personne avec qui on a fait l'amour
au moment d'une passion était sensationnelle.

Tout cela est vrai. Cependant, il y a la contrepartie qui ne
reflète pas la joie du moment mais en est grandement affectée.
Décrocher de l'école et ne plus voir le professeur voulait aussi
dire qu'il n'y aurait ni graduation ni réalisation plus tard des
rêves de carrière. Le fait de manger ces desserts succulents
voulait aussi dire qu'il serait impossible de porter le costume
de votre choix. Faire l'amour passionnément avec une personne voulait aussi dire un enfant non désiré. Ce n'est pas aussi
simple que vivre l'expérience sur le moment. Ce que l'on doit
reconnaître c'est que l'on se raconte des histoires. Lorsque
vous décidez que quelque chose doit être fait immédiatement,
à l'instant même, demandez-vous si vous ne vous contez pas
des histoires — demandez-vous quelles seront les conséquences si vous vous faites prendre. La voiture d'occasion
qu'il vous fallait absolument acheter, avec l'argent des
vacances de la famille, pourrait ne pas fonctionner de façon
satisfaisante dans un avenir rapproché ou lointain.

Tentez de vous rendre compte que vous vous racontez des histoires ou que vous vous adonnez à un petit jeu fantaisiste. Au moins, de cette façon, vous rationalisez.

Demandez-vous, au moment où vous désirez absolument avoir un dessert: «Vais-je me faire prendre?» C'est une question intéressante, n'est-ce pas? Dès lors, vous décidez, vous commencez à rationaliser. «C'est vraiment une petite portion. Je ne mangerai que la croûte. Dès demain, je me soumettrai à une diète. J'ai été bonne hier, je n'ai mangé qu'un léger déjeuner.» Je n'ai pas à vous rappeler toutes les choses que vous vous dites.

Si vous vous demandez si vous allez vous faire prendre, votre réaction pourrait être bien différente. Bien sûr, vous allez vous faire prendre. Oubliez les livres que vous vouliez perdre. Ou, tout au moins, vous ne les perdrez pas rapidement. Puis, vous allez toujours vous faire prendre.

Pouvez-vous vous faire prendre à décrocher de l'école? Il vous faut y penser et penser aux alternatives qui vous sont plus désirables qu'aller à l'école. Tenez compte réellement des avantages de ne pas décrocher. Si les désavantages l'emportent, vous pouvez vous faire prendre.

Les implications d'une relation sexuelle sans préparation sont assez évidentes. Oui, on peut se faire prendre. Et, la même chose est vraie pour la voiture plutôt que les vacances de la famille.

Après s'être rendu compte qu'on peut se faire prendre, la question suivante à se poser est: «Est-ce que ça en vaut la peine?» Si la réponse est oui, il faut se réjouir de l'expérience. Si la réponse est non, si l'on décide que l'expérience doit être retardée ou abandonnée, on est fier de soi-même puisqu'on en retire une satisfaction basée sur des choix.

Ces options sont importantes puisqu'elles permettent la liberté d'agir ou de ne pas agir — le plus grand cadeau que l'on puisse s'offrir. On se libère ainsi de la nécessité d'agir de façon impulsive et on prend charge de sa vie. Quelle position spéciale et enviable!

CHAPITRE 4

Que dire de vos enfants?

Les Enfants d'alcooliques ainsi que les enfants des Enfants d'alcooliques ne sont ni plus ni moins blessés émotivement que les autres enfants qui vivent dans une situation stressante. L'alcoolisme ne peut à lui seul s'accorder les blâmes des enfants stressés. La culpabilité que l'on porte en raison de notre incapacité d'offrir un environnement idéal à la maison, quelles que soient les circonstances, n'apporte rien à personne. Tout ce que cela peut faire c'est de drainer l'énergie des choses que l'on peut faire afin de changer la situation.

Non seulement beaucoup de blessures subies au cours de leur enfance sont réversibles, mais, avec votre aide, vos enfants peuvent être plus forts, avoir un plus grand amour-propre en raison de ces expériences. Je suis sincère sur ce point. Les éléments négatifs peuvent être transformés en élément positifs, si on sait s'y prendre. J'ai découvert, au cours de ma carrière de consultation avec les enfants, que l'amélioration est immédiate et considérable. Plus souvent qu'autrement, votre assistance devient un élément important dans la réorientation de votre enfant. Vous êtes une personne importante dans sa vie et vous pouvez représenter une force énorme dans la création de son bien-être. Vous pouvez lui enseigner une foule de choses qui auront pour effet d'accroître sa valeur personnelle.

QUE DIRE DE MES ENFANTS?

Voici une liste de lignes directrices qui vous aideront à briser le cycle des problèmes occasionnés par l'alcoolisme dans la prochaine génération. On compte dix points très importants.

Puisqu'un bon nombre d'entre vous avez développé un problème d'alcoolisme ou avez marié des alcooliques, il est fort possible que vos enfants évoluent dans une situation active, si les lignes directrices sont conçues en tenant compte de ce fait. Si vous êtes assez chanceux de ne pas être alcoolique vous-même et que vous ne vivez pas avec un alcoolique plus tard au cours de votre vie, les conseils peuvent néanmoins être très utiles, puisqu'on peut les adapter à toutes les situations.

1. Travaillez sur votre personnalité et sur votre croissance personnelle.

Soyez un modèle pour vos enfants car les enfants apprennent par l'immitation — que cela vous intéresse ou non. Si vous êtes triste et confus, vos enfants le seront. Si vous êtes irascible, vos enfants le seront. Ils ont eu peur, ils se sont sentis coupables et obsédés par l'alcool comme vous. Vous pouvez aussi bien établir un climat négatif que positif. Si vous accrochez un sourire à vos lèvres, vos enfants souriront. On peut sentir la tension dans l'air, sans qu'une parole ne soit formulée, mais toute la maisonnée la ressent. Si vous pouvez réussir à relaxer, la bonne humeur règnera dans votre maison. C'est un bon point de départ.

2. Soyez à l'écoute de vos enfants.

Parlez à vos enfants et écoutez ce qu'ils ont à dire — quel que soit leur dialogue. Laissez-leur savoir que vous êtes intéressé et que vous leur offrez toute votre attention. Le fait d'écouter ne veut pas dire que vous êtes d'accord, mais simplement que vous êtes disposé à les entendre. Faites en sorte que vous acceptez leur droit d'être ce qu'ils sont et de penser ce qu'ils veulent, de la même façon que vous vous attendez à ce qu'ils acceptent la personne que vous êtes et ce que vous dites. Cela semble facile à dire, mais c'est beaucoup plus difficile à réaliser. Certaines choses que vous entendrez vous choqueront, mais vous avez aussi eu des pensées choquantes quand vous aviez leur âge. Ou même aujourd'hui. Voilà une façon idéale de créer une ligne de communication avec une personne et non en s'adressant à elle comme à un objet.

3. Dites la vérité. Soyez honnête.

Le sens de la réalité de vos enfants est sérieusement déformé. Ils éprouvent beaucoup de difficulté à reconnaître la vérité. L'alcoolique actif baigne dans une mer de promesses brisées. Il est sincère lorsqu'il dit qu'il arrivera à temps pour le dîner, même s'il est possible que cela ne se produise pas. Cela confond les enfants. L'alcoolique ne ment pas... mais il entre en retard pour le dîner. L'enfant entend les non alcooliques inventer des excuses et il suit cet exemple.

L'enfant, comme tous les membres de la famille, fait de son mieux pour s'esquiver de la vérité. En le confrontant à la réalité, on le ramène à la santé. N'ayant plus à cacher ses sentiments, on amoindrit le fardeau de l'enfant.

Ces sentiments ne sont pas *bons* ou *mauvais*. «Il ne devrait pas prendre les choses comme ça,» il n'y a pas une bonne chose à entendre ou a dire, puisqu'on ressent ce qu'on ressent. Il existe peut-être certaines façons de se comporter, mais les sentiments ne comportent aucune dimension de «*bon*» ou de «*mauvais*.» Si l'on croit que ce que l'on ressent est mauvais, on se sent coupable et on empire les choses. L'enfant pourrait dire: «Je hais mon père!» Si vous dites: «Tu ne devrais pas haïr ton père, il est malade» vous placez la culpabilité sur les épaules de l'enfant. Quelle personne terrible doit-il être, d'haïr un malade? Il est préférable de laisser l'enfant explorer la valeur de ses sentiments. «Je comprends ce que tu veux dire. Parfois, je pense que je le hais aussi, mais c'est vraiment la distance que je déteste. Ce que je hais réellement c'est la façon dont la maladie le fait se comporter.» Faites de votre mieux pour corriger et, ce faisant, vous réussirez à clarifier vos propres pensées.

La colère que vous ressentez est réelle. Mais il est peu utile de céder à la colère plutôt qu'à la compassion. Vous pouvez ressentir ces deux choses. Parlez-en ouvertement. Décidez ce que vous entendez faire à propos de ce problème. Promenez-vous à vélo ou, si la colère continue à vous dominer, frappez un sac de sable, ou allez dans un endroit où vous pouvez crier à volonté. Oui, être en colère est acceptable, mais se comporter de façon destructive quand on est dans cet état ne l'est pas.

Je suis plus affectée par l'enfant qui demeure passif devant une situation qui l'offusque. Je sais que la colère qu'un enfant refoule lui provoquera des problèmes d'estomac, une dépression et toutes sortes d'autres symptômes. Aussi difficile que ce puisse être à accepter, lorsque votre enfant se met à crier, il est préférable pour sa santé de laisser exploser sa colère. Les enfants peuvent aussi s'inquiéter énormément et se sentir impuissants. Ils ne se sentent pas confortables lorsqu'ils se confient à leurs professeurs ou à leurs conseillers. Ils ne veulent pas que les «gens de l'extérieur» connaissent leurs affaires. Si bien que ce qui les dérange demeure emprisonné en eux. On peut être leur refuge où ils pourront confier leurs inquiétudes ouvertement et facilement.

4. On doit les éduquer.

Il faut leur dire tout ce qu'on connaît sur les maladies de l'alcoolisme, leur fournir la littérature, discuter et répondre à toutes les questions qu'ils poseront. Ils voudront peut-être connaître certaines choses auxquelles on ne peut répondre. «Oui, je comprends, une fois que papa commence à boire, il ne peut s'arrêter, alors pourquoi commence-t-il?» Et lorsqu'on répond: «Il est tellement malade. La contrainte fait partie de sa maladie.» L'enfant ajoute: «Oui, mais...» À ce stade, il n'y a rien de mal à dire: «Je ne comprends pas complètement moi-même. La seule réponse que je connais bien, c'est qu'il est très difficile de ne pas se laisser abattre. J'ai besoin de ton aide afin de m'en souvenir, autant que tu en as besoin.»

5. Encouragez vos enfants à se joindre à Alateen (Adolescents d'Alcooliques Anonymes)

Alateen aide à promouvoir l'idée que l'alcoolisme est une maladie et qu'elle doit être perçue comme telle. Une fois que vos enfants peuvent accepter le concept de maladie, ils peuvent commencer à développer leur amour-propre.

Étant enfant, on se voit comme les autres nous voient. Les choses terribles que les alcooliques disent aux enfants affectent la façon dont ils se perçoivent. Bien souvent, les enfants pleurent dans mes bras en disant: «Si je n'étais pas un enfant si pourri, mes parents ne boiraient pas. Tout le monde serait mieux si je mourais.»

Nul ne peut causer l'alcoolisme. Nul ne peut le guérir. L'enfant doit comprendre qu'il ne doit pas permettre à l'alcool de déterminer ses valeurs en tant qu'être humain. C'est, par ailleurs, plus facile à dire qu'à faire. Vous pouvez l'aider en le lui rappelant et par votre propre comportement envers lui.

Alateen fait un travail admirable pour inculquer ces principes. Si votre enfant participe aux réunions d'Alateen, il se sentira compris et développera un sens d'appartenance.

C'est un endroit où il pourra parler librement de ses problèmes et se sentir mieux.

6. Abandonnez le déni.

Le déni représente le plus grand allié de l'alcoolisme et l'ennemi le plus redoutable que vous ayez à combattre. La réalité, cependant, est plus facile à traiter que l'inconnu. C'est vrai même avec une maladie aussi insidieuse que l'alcoolisme.

Dites à votre enfant: «Ton père souffre d'une allergie à l'alcool. Ça lui pose des problèmes qu'il ne désire pas et que nous ne désirons pas, mais nous ne devons jamais oublier que lorsqu'il fait des mauvaises choses, c'est la maladie qui parle et non lui. Ce serait difficile de t'en souvenir, parce qu'il ressemble toujours à ton père. Si cela se produit, viens me voir pour m'en parler, et si j'oublie, c'est moi qui irai à toi. C'est une maladie pour toute la famille, et nous nous sentirons mieux en tant que famille unie.»

7. Ne protégez pas vos enfants en leur cachant les ravages de l'alcoolisme.

Si une personne alcoolique détruit des choses dans la maison, il est préférable qu'elle se rende compte de la destruction qu'elle sème autour d'elle. Malheureusement, les enfants seront aussi témoins de la scène. Dites: «Ça me fait de la peine que tu sois obligé de voir cela, mais ta mère doit savoir ce qui s'est produit, elle ne s'en souviendra pas.» Protéger vos enfants les rend faibles et confus. Ils savent que quelque chose de mal s'est passé, alors pourquoi laisser libre cours à leur imagination qui n'aura pour effet que d'empirer les choses, quelle que soit l'étendue du dommage. On ne veut pas nier la réalité. Gaspiller son énergie à nier ce qui est réel, c'est priver l'énergie des autres facteurs qui peuvent être plus bénéfiques — comme la guérison.

8. N'ayez pas peur de témoigner de l'affection à vos enfants.

On ne peut jamais donner trop d'amour à un enfant. Par contre, céder devant tous ses caprices afin de compenser pour les difficultés dans sa vie, ce n'est pas de l'amour. Dire à un enfant qu'on l'aime, le cajoler, l'embrasser, lui laisser savoir combien chanceux on est de l'avoir, est de l'amour et il a besoin d'entendre ces paroles. Lui dire qu'il sait que vous l'aimez n'est pas plus suffisant que ce ne l'est pour vous. Il faut le dire — il faut l'entendre. Cela ne veut pas dire que tout ce qu'il fait ou dit est aimable, mais, comme être humain il est aimable. «J'aime ce que tu es même si je n'aime pas tout ton comportement, mais je ne t'aime pas moins pour autant.» Ce message doit être clair. Il en est de même pour l'alcoolique. On peut l'aimer et détester sa maladie. Une chose n'a rien à voir avec l'autre. Certains comportements sont acceptables... certains ne le sont pas.

9. Il est important pour les enfants d'avoir des limites précises.

Enseignez-leur que le dîner est servi à heure fixe, que les travaux scolaires doivent être exécutés à une heure prédéterminée, que le coucher est prévu à une heure prédéterminée. Il faut leur donner des paramètres autour desquels ils peuvent structurer leur vie. La relation familiale doit être uniforme, puisque cette déviance désoriente les enfants à tel point qu'ils perdent leur sens du Moi. Nul ne peut se sentir bien dans sa peau sans savoir ce qui se passe d'un jour à l'autre. L'équilibre devient trop précaire. On doit offrir aux enfants une vie bien ordonnée avec des règles raisonnables et insister pour qu'elles soient suivies. Les enfants testent les limites et cela, simplement afin de découvrir si vous avez de la suite dans les idées. Si la règle est juste, peu importe si l'enfant l'aime ou non, ça ne l'empêchera aucunement d'être reconnaissant et de se sentir en sécurité en raison de ces règles. On doit être imbu de sécurité afin d'améliorer son sens personnel. On peut contribuer beaucoup à cette sensation.

10. Les enfants ont besoin d'accepter les responsabilités de leurs comportements.

Si votre enfant brise une fenêtre, laissez-lui le problème de figurer comment la remplacer. Ses fautes sont les siennes et ses succès sont les siens. S'il arrive en retard pour le dîner, c'est son problème — non le vôtre. Apprendre à traiter les difficultés fait partie de la construction de l'amour-propre. Cela veut dire qu'il a un certain contrôle sur son environnement. Lorsque votre enfant a un problème, laissez-lui penser aux alternatives, sans toujours lui fournir les réponses. Les Enfants d'alcooliques se sentent impuissants et leur vie est affectée par l'alcoolisme. Ils ont besoin de se prendre en main. On doit les encourager à tenter d'accomplir de nouvelles choses. Le succès est moins important que les tentatives d'accomplissement. Bien que l'on ne peut faillir si l'on ne tente rien, on ne peut réussir non plus. Tout succès, quel qu'en soit l'ampleur, mérite d'être encouragé.

Songez aux choses qui vous rendent valable. Offrez ces mêmes choses à vos enfants. L'amour-propre ne change pas en grandissant sans travail acharné. Attaquez le problème en famille. Vous avez souffert en famille, divisée par l'alcool — reprenez le dessus en famille, unie par l'alcoolisme.

Aussi étrange que cela puisse sembler, la terrible maladie qui a frappé votre famille peut servir contre elle. À cause de l'alcoolisme, vous êtes devenu conscient de vous-même et de votre besoin de fonctionner totalement comme une famille. Profitez-en. La puissance de la croissance personnelle, rehaussée par la valeur personnelle, annihile l'alcoolisme. Vos enfants seront plus forts parce qu'ils auront traité avec la réalité. Ils seront moins vulnérables parce qu'ils auront connu la douleur et y auront fait face. Nous grandissons tous à partir des défis dans notre vie. Nous passons des mauvais moments aux bons moments. Comme famille, on peut se réaliser plus avantageusement que si l'on n'avait jamais eu l'occasion de se voir comme on est. En aidant vos enfants à accroître leur amour-propre, vous en ferez de même avec le vôtre. Cette fois, la barque se dirige en eaux calmes. Lentement mais sûrement, le courant s'inverse, vous avez le vent dans les voiles et vous êtes à la roue. VOUS EN VALEZ LA PEINE!

CHAPITRE 5

Conseils de rétablissement

I l est important de préciser la signification du rétablissement d'un Enfant d'alcoolique devenu adulte. L'alcoolisme est une maladie et les gens qui s'en rétablissent, se rétablissent d'une maladie. Le modèle médical est accepté par tous les gens responsables associés au traitement de l'alcoolisme.

Être l'enfant d'un alcoolique n'est pas un maladie. C'est un fait de notre histoire. En raison de la nature de cette maladie et des réactions de la famille, certaines choses se produisent et influencent nos sentiments personnels, attitudes et comportements de certaines façons qui nous blessent et nous causent des soucis. L'objectif du rétablissement pour un Ed'a est de surmonter les aspects dans nos antécédents qui nous créent des difficultés aujourd'hui, et d'apprendre de meilleures façons de vivre.

Nous nous rétablissons tous, jusqu'à un certain degré, d'une façon ou d'une autre, puisque très peu d'entre nous avons bénéficié d'une enfance idéale et, il en est peut-être de même chez ceux qui ont vécu une enfance exemplaire. Comme il existe tant de familles d'alcooliques et comme nous avons eu la chance d'étudier leur évolution, il est possible de décrire, en termes généraux, ce qui s'est produit chez les enfants qui ont grandi dans cet environnement.

Parallèlement aux autres familles qui partagent des dynamiques similaires, les personnes qui ont grandi dans un autre système «dysfonctionnel» s'y identifient et se rétablissent de la même façon.

CONSEILS DE RÉTABLISSEMENT POUR LES ENFANTS D'ALCOOLIQUES DEVENUS ADULTES

La lecture du livre *Les Enfants d'alcooliques* représente la première étape vers le rétablissement. Cette section répond aux questions «À quoi s'attendre maintenant?» et «Comment puis-je protéger la qualité de mon rétablissement?»

Pour ceux qui se rétablissent d'une dépendance d'alcool ou de drogue

Si vous vous rétablissez depuis un an ou plus, vous êtes maintenant prêt à procéder à l'étape suivante. Bon nombre de gens qui réussissent bien leur sobriété ont la sensation qu'il leur manque quelque chose. En attaquant les façons dont le passé entre en conflit avec le présent et en comblant les vides, on parvient à accroître la qualité d'une sobriété. Si vous vous rétablissez depuis moins d'un an, accordez-vous le reste de l'année afin de vous concentrer sur le retrait — c'est votre plus grande priorité. Il sera toujours possible de passer à d'autres choses ensuite, mais «l'important d'abord»... et la sobriété passe avant tout.

Dans le cas d'une rechute
ou d'une impossibilité d'accumuler 90 jours...

Bon nombre de personnes se rendent compte qu'elles sont incapables de maintenir leur sobriété puisqu'elles utilisent la substance afin d'éloigner la douleur de leur secret. À ces gens, je dis: «Vous êtes aussi malades que vos secrets» et c'est une expression imbue de bon sens. En conservant ses secrets, on demeure accroché. Le système familial d'alcooliques est une place remplie de secrets. Si c'est votre cas, il se peut que vous soyez obligé de solliciter d'abord l'aide d'un professionnel qui comprend l'abus de la substance: il comprend ce que c'est que d'être un Ed'a. Le but de cette démarche est d'exposer votre secret — ne serait-ce qu'à vous-même et à votre thérapeute — et de drainer le poison de votre plaie. (Certaines personnes peuvent utiliser favorablement la cinquième étape des AA pour y arriver, mais elle ne fonctionne pas pour tous les gens.)

La plupart des secrets, quant à moi, se rapportent à la honte. Bon nombre d'hommes et de femmes ont été molestés ou ont été incapables de freiner l'abus chez les consanguins. D'autres sont gais ou lesbiennes et, en raison des liens parentaux, des attitudes religieuses ou sociales, ils croient que ce n'est pas une façon d'être acceptable.

Une fois que le secret est exposé, quel qu'il soit, et que le poids du secret ne se manifeste plus, votre prochain objectif est de vous tenir propre ou sobre et de maintenir cette règle pendant un an. Ce sera alors le moment de passer à l'étape suivante.

Pour ceux qui se rétablissent d'une dépendance qui n'est pas reliée à l'alcool ou à la drogue comme le jeu, la nourriture ou le sexe, il est possible de combiner les douze étapes de rétablissement du programme des Ed'a.

Tout programme de rétablissement devrait bien fonctionner parallèlement à celui des Ed'a. Sinon, il vous faut découvrir ce qui se passe. Lisez la brochure «Lignes directrices pour les groupes d'assistance personnelle.»

**Pour toute personne qui n'est pas
en phase de rétablissement d'une dépendance.**

Allez d'abord voir les Al-Anon et apprenez les principes du programme de douze étapes et comment vous pouvez vous y adapter. Les groupes d'assistance des Ed'a ne suivent pas tous cette méthode, mais puisque beaucoup de leurs membres se joignent à d'autres programmes similaires, on suit les principes ainsi que le langage.

Pour tous.

Pour toutes les personnes en phase de rétablissement d'un groupe d'Ed'a, on doit reconnaître les principes de l'Al-Anon de sevrage, qu'elles soient en phase de rétablissement ou non ou qu'elles vivent avec une personne dépendante ou non. Avant de ce faire, il est impossible d'aller plus loin. Le sevrage en est la clé. En raison de la nature inconstante de la «nourriture» qu'un enfant reçoit dans un système familial alcoolique et son besoin d'affection, bon nombre d'entre vous demeurez soudés à vos parents. Même si vous n'habitez plus avec eux, vous cherchez leur approbation et êtes fortement influencé par leurs attitudes et leurs comportements. Vous devez apprendre à vous séparer d'eux de façon à ne pas ajouter à votre stress. Voilà un des objectifs primordiaux du programme Al-Anon.

Une fois que vous avez appris à vous éloigner de l'alcool (ce qui prend de six mois à un an), vous serez prêt à vous joindre à un groupe d'assistance d'Ed'a. Il faut vous rappeler que le but d'un groupe d'assistance est de partager l'expérience, la force et l'espoir. Bon nombre d'entre eux y parviennent très bien, et par identification et exemples, les membres apprennent à faire des choix judicieux.

Si le groupe auquel vous participez réussit — c'est magnifique, mais s'il consacre son temps à partager des histoires tragiques, en jetant le blâme sur les parents, je vous avertis: «Ce n'est peut-être pas le bon endroit pour vous.» Vivre dans le passé et blâmer les parents sont des façons d'éviter le présent et de prendre ses responsabilités pour son comportement. C'est aussi une excellente façon de rester accroché. Cela ne veut pas dire que votre vie n'a pas été une tragédie et que vos parents n'ont pas fait des choses terribles, mais plutôt que vous êtes «maintenant» et vous avez les possibilités de créer votre propre tragédie. Vous devez être responsable de votre comportement. Vous êtes aussi la seule personne qui puisse vous apporter un sens de bien-être.

Parler de son passé est approprié au moment des réunions de débutants ou avec un professionnel, mais non à l'assemblée même. Les gens en phase de rétablissement d'une dépendance doivent se souvenir de leur passé, mais ceux qui se rétablissent du comportement des autres ne partagent pas les mêmes avantages. Ils ont plutôt besoin de changer leur réaction devant le comportement des autres et la meilleure façon de ce faire est de se concentrer sur le présent.

Ce que l'on apprend à propos de soi-même en grandissant devient partie intégrante de ce que l'on est, de ce que l'on ressent à propos de soi-même. Nul ne peut changer ce fait... sauf soi-même. Vos parents, même s'ils se rétablissent et vous traitent différemment, ne peuvent réparer ce qui provoque en vous une sensation de malaise. Vous pouvez maintenant engendrer une nouvelle et saine relation avec eux mais aucune amende honorable ne peut réparer le passé. Voilà pourquoi revivre constamment votre douleur ne contribue en rien à l'éliminer et à l'oublier. Vos difficultés présentes sont vos problèmes. Tout éloignement de ce fait ne ferait que retarder votre rétablissement.

Les émotions qui ont été refoulées pendant des années et des années pourraient remonter à la surface. C'est la raison pour laquelle on suggère, dans le cas d'un rétablissement d'une dépendance, que vous vous intéressiez avant tout à cette dimension de sorte que vous ne serez pas tenté de revivre ces sensations destructrices. Vous traverserez une série d'émotions puissantes au moment de votre rétablissement. Cela fait partie du processus.

Les gens ne traversent pas toutes les étapes de la même séquence et beaucoup d'entre vous peuvent bloquer certaines sensations. Il n'existe aucune «bonne» façon. Je vous cite tout simplement le processus parce que ces sensations peuvent remonter à la surface sans que vous vous en rendiez compte et elles peuvent créer chez vous une certaine crainte. En fait, elles fe-ront surface plusieurs fois avec chaque nouvelle découverte. Le processus de rétablissement est différent pour chaque personne. Vous êtes la seule personne à pouvoir déterminer la façon qui fonctionne le mieux pour vous.

Votre réaction immédiate en lisant ce livre peut être:

1. *Soulagement.* La réalisation que vous n'êtes pas seul(e) et que vous ne souffrez pas de folie contribuera à votre liberté. Il se peut que ce soit pour vous un événement qui changera le cours de votre vie.

2. *Douleur.* La réalisation que vous avez souffert, avec impuissance, peut vous engloutir devant la réalisation que vous avez vécu un mensonge. Il se peut que ce soit similaire à la douleur extraordinaire que vous ressentiez

en tant qu'enfant avant que vous ayez appris à engourdir vos sentiments.

3. **Colère.** Il n'est pas exceptionnel de constater que toute la colère que vous avez maîtrisée pendant toutes ces années se mette à jaillir à la surface et que vous deveniez effrayé par votre propre colère.

4. **Chagrin.** Les pertes que vous avez vécues doivent être pleurées et il se peut que vous ressentiez ce niveau de douleur. Vous aurez peut-être la sensation que si vous commencez à pleurer vous ne pourrez plus vous arrêter.

5. **Joie.** En traversant les différentes étapes du processus, vous ressentirez éventuellement une certaine liberté que vous n'avez jamais connue auparavant. Quand on est adulte, on peut devenir l'enfant qu'on n'a jamais été au début de sa vie.

Pour certains et certaines d'entre vous, la lecture de livres et la participation aux groupes d'assistance sont peut-être suffisantes. D'autres auront besoin d'outils additionnels pour contrôler ces sensations et commencer une nouvelle vie.

Certains trouveront utiles quelques consultations. Le conseiller agit comme moniteur et vous aide à découvrir la meilleure façon de vivre dans le «ici» et le «présent».

Vous aurez peut-être à prendre certaines décisions difficiles mais nécessaires quant aux diverses possibilités qui vous sont offertes. Une personne non impliquée dans le dénouement et entraînée pour venir en aide aux autres peut s'avérer très utile.

Certaines personnes en phase de rétablissement ont peut-être vécu un trauma qui bloque leur progrès. Elles peuvent utiliser l'assistance d'un thérapeute afin de scruter leur vie avec attention et de comprendre, analyser le passé et mettre en valeur les ressources présentes.

Certaines personnes pourront assister à des sessions de thérapie. Les groupes d'auto-assistance facilitent la croissance personnelle, mais contournent l'interaction. Un groupe de consultation thérapeutique peut aider à comprendre et à modifier le comportement et les réactions envers les autres dans un contexte interactif, c'est-à-dire que tous les participants partagent leurs réponses de façon utile. Dans le cas d'une consultation de personne-à-personne, le professionnel ne reconnaît que ce qu'on lui rapporte et ne fonde son analyse que sur cet objectif. La relation de personne-à-personne n'indique aucunement comment on apparaît devant les autres. Il se peut qu'on se présente devant eux de façon inconsistante avec ses sentiments personnels. En se rendant compte de ces différences et en apportant les changements qui s'imposent, on peut grandement améliorer le rétablissement.

LE CHOIX D'UN(E) THÉRAPEUTE

Si vous choisissez un(e) thérapeute, voici quelques points à retenir. Le(la) thérapeute doit:

1. connaître le phénomène de dépendance;
2. connaître les programmes d'auto-assistance;
3. connaître la sensation d'être un Ed'a ou d'avoir évolué dans une famille dysfonctionnelle, *sans* nécessairement provenir d'un tel milieu;
4. posséder au moins une maîtrise en consultation thérapeutique, en travail social ou en psychologie;
5. être disposé à répondre à vos questions;
6. promouvoir la révélation — *sans* se révéler;
7. être amical(e) sans être un(e) ami(e).

Vous pourrez étudier la valeur des thérapeutes sans continuer à consulter le premier choisi. Vous devez payer les honoraires de la consultation mais si elle ne vous apporte pas une sensation de bien-être, changez de thérapeute. Si, au moment de votre choix, aucun(e) thérapeute ne répond ni à vos attentes ni aux critères précités, vous n'êtes peut-être pas aussi prêt(e) que vous ne le pensiez.

À un moment donné de votre processus de rétablissement, il est utile de prévoir une réconciliation avec votre spiritualité. Il existe en vous certains points vides... certains points douloureux, qui ne peuvent être comblés que par une relation spirituelle. Elle se produira à votre façon, à votre propre rythme.

Personnes rétablies... attention!

1. Le processus de rétablissement chez les Enfants d'alcooliques devenus adultes peut être très perturbateur. Il touche la façon dont vous êtes perçu(e) et dont vous avez perçu le monde jusqu'à ce jour. C'est beaucoup. En comparaison, «ne pas boire et aller aux assemblées» semble être du gâteau — et vous savez que c'est loin d'être facile. Le volcan qui a déjà été en éruption ne peut retourner paisiblement dans son cône. Ne soyez pas surpris(e) si vous avez la sensation de ne plus appartenir à la même coquille humaine — c'est normal.

2. Souvenez-vous que vous devrez épargner tous les autres de leur ignorance en leur disant non seulement «Il y a mieux» mais aussi «Tourne complètement ta vie à l'envers.» C'est beaucoup demander d'une autre personne. Donc, si vous le faites, demandez-vous:

    • Suis-je préparé(e) à être là pour cette personne au milieu de ce processus?

- Suis-je disposé(e) à accepter le droit de cette personne de ne pas changer?

Sinon, il serait préférable que les autres viennent à vous.

3. Si vous ne vivez pas une relation intime, reportez à plus tard, jusqu'à ce que vous ayez clairement défini vos points. Sinon, vous ne ferez que répéter vos vieilles erreurs et compliquer les choses. Vous ne serez plus la même personne un an plus tard, donc vos choix seront différents.

4. Si vous vivez présentement une relation, tenez l'autre personne au courant de votre transformation. Demandez-lui de lire le livre *Struggle for Intimacy* (*Vivre ensemble*). Encouragez-la à s'impliquer dans le processus avec vous. Si vous vous êtes fait prendre dans un filet et que vous vous retirez maintenant afin de redevenir vous-même, tenez compte du fait que votre démarche constitue un changement, non seulement pour vous, mais aussi pour les autres dans votre vie. Il se peut qu'ils ne réagissent pas de façon favorable. Mais souvenez-vous que si vous changez les règles et que vous vivez une relation, deux personnes peuvent donc être impliquées dans les règles du changement ou la relation risque de devenir dysfonctionnelle, que vous sachiez ou non que c'est «la meilleure chose pour vous deux.»

5. Si vous avez été négligent comme parent et que vous vous rendez compte maintenant que vous perpétuez peut-être le cycle, votre vigilance soudaine pourrait ne pas être bien interprétée.

6. La lecture de matériel et les «talk shows» ajouteront à vos connaissances et peuvent aussi vous apporter une

certaine perspicacité. Bien que les livres et les médias peuvent avoir une certaine valeur thérapeutique, ils ne constituent *pas* une thérapie. La bonne sensation de la puissance de l'identification n'affecte aucunement un changement durable.

Les Ed'a sont des créatures excessives. «Rien de ce qui mérite d'être fait ne doit se faire en modération.» Aussi, ce que je suggère: le rétablissement représente un processus lent. Il doit en être ainsi, sinon ce n'est *pas* un rétablissement. Il se peut que vous procédiez à grands pas, néanmoins, vous devrez consacrer de longs moments avant que la transformation ne soit complète.

Vers la découverte de soi.

On ne doit jamais s'éloigner du fait que le rétablissement constitue un processus bien réussi même si quelque chose que vous croyiez résolu refait surface sous une autre forme. Il se peut que ce soit maintenant à un moindre niveau. Vous n'avez pas failli à la tâche, même si vous traversez une période de stress et que vous retournez à votre ancien comportement.

J'ai découvert «l'enfant en moi» aujourd'hui;
depuis tant d'années, dans un coin blotti.
M'aimant, m'enlassant — avec un besoin illimité,
si seulement je pouvais le rejoindre, le toucher.
Je n'ai jamais connu cet enfant —
nous ne nous sommes jamais connus à trois ou à neuf ans.
Mais aujourd'hui *à l'intérieur je l'entends crier.*
Je suis ici, criai-je, viens m'habiter.
Nous nous sommes étreints pendant des heures
en laissant émerger les sensations de douleur et de peur.
Ça va, je pleure, je t'aime!
Pour moi, tu es précieux, je veux que tu le saches.
Mon enfant, mon enfant, tu es libre en ce jour.
Jamais ne connaîtras-tu l'abandon — je suis ici pour tou-
jours.
Rions, pleurons, quel grand moment —
cet enfant chaleureux, aimant, est mon rétablissement.

— Kathleen Algoe, 1989
(Adaptation française
Jean Guimond,
BA, Sc, LLB.)

Le rétablissement affectif, comme on dit, s'accomplit «*un jour à la fois*.»

Conclusion

rois énoncés dans le domaine de l'alcoolisme semblent concorder:

1. L'alcoolisme tient de famille. On voit rarement un cas
   isolé. Quelqu'un d'autre dans la famille a déjà souffert ou
   souffre de cette maladie.
2. Les Enfants d'alcooliques courent un plus grand risque de
   développer l'alcoolisme que les enfants dans la population
   courante. Il peut y avoir eu certaines discussions sur
   l'environnement ou les gènes, ou une combinaison des
   deux, mais la vérité des énoncés n'a jamais été mise en
   doute.
3. Les Enfants d'alcooliques sont portés à marier des
   alcooliques. Ils s'introduisent rarement dans le mariage en
   le sachant, mais on voit ce phénomène se produire à maintes occasions.

Ces trois points démontrent les liens indéniables entre les aspects de la maladie familiale que l'on appelle alcoolisme. Les caractéristiques de l'alcoolique et les réactions de la famille, comme je l'ai indiqué dans *Marriage on the Rocks*, influencent nettement les éléments variables qui se rapportent aux enfants devenus adultes qui ont vécu dans un foyer alcoolique, tel qu'illustré dans le présent ouvrage. Dans *Marriage on the Rocks*, je parle des traits de caractère qui prévalent chez les alcooliques telles que (a) une dépendance excessive; (b) l'incapacité d'exprimer des émotions; (c) seuil inférieur de tolérance; (d) immaturité émotionnelle; (e) niveau élevé d'anxiété dans les relations interpersonnelles; (f) degré inférieur d'amour-propre; (g) grandiloquence; (h) sentiment d'isolement; (i) perfectionnisme; (j) ambivalence envers l'autorité; et (k) culpabilité.

La famille réagit avec (a) le déni; (b) le culte de la protection, la pitié, l'intérêt pour le buveur; (c) la gêne, l'éloignement des occasions de boire; (d) le volte-face dans les relations, le pouvoir, les activités égocentriques; (e) la culpabilité; (f) l'obsession, l'inquiétude continuelle; (g) la crainte; (h) le mensonge; (i) le faux espoir, le désappointement, l'euphorie; (j) la confusion; (k) les problèmes sexuels; (l) la colère; (m) l'abattement, le désespoir, l'apitoiement sur soi-même, les remords, le désespoir.

En jetant un dernier coup d'oeil aux caractéristiques qui prédominent chez l'enfant d'un alcoolique, il n'est pas difficile de déceler le lien entre ces caractéristiques et ce qu'ils vivent comme enfants de parents alcooliques ou sur le point de le devenir. Les qualités énoncées comme émanant de l'alcoolique et du futur alcoolique contribuent, en partie, à chacune des caractéristiques. Vous voudrez peut-être ajouter à cette liste, ou la modifier. Les perceptions peuvent varier, mais en dépit des différences, les rapports sont évidents.

Clé

Alcoolique(A)

a. trop forte dépendance
b. incapacité de partager ses émotions
c. seuil inférieur de tolérance
d. manque de maturité
e. forte anxiété dans les relations interpersonnelles
f. degré inférieur d'amour-propre
g. grandiloquence
h. sentiment de solitude
i. perfectionnisme
j. résistance envers l'autorité
k. culpabilité

Quasi alcoolique(QA)

aa. le déni
bb. le culte de la protection, la pitié, l'intérêt pour le buveur
cc. la gêne, l'éloignement des occasions de boire
dd. le volte-face dans les relations, le pouvoir, les activités égocentriques
ee. la culpabilité
ff. l'obsession, l'inquiétude continuelle
gg. la crainte
hh. le mensonge
ii. le faux espoir, le désappointement, l'euphorie
jj. la confusion
kk. les problèmes sexuels
ll. la colère
mm. l'abattement, le désespoir, l'apitoiement sur soi-même, les remords, le désespoir

189

Caractéristiques

1. Les Enfants d'alcooliques se demandent ce qui est «normal».
   A - b, g, j; NA - aa, dd, hh, ii, jj

2. Les Enfants d'alcooliques éprouvent certaines difficultés à piloter un projet du début jusqu'à la fin
   A - c, f, i; NA - ff, jj, mm

3. Les Enfants d'alcooliques mentent, alors qu'il serait tout aussi facile de dire la vérité
   A - g, i. j; NA - aa, ee, hh, ii, jj

4. Les Enfants d'alcooliques se jugent impitoyablement
   A - i, j, j; NA - ee

5. Les Enfants d'alcooliques éprouvent beaucoup de difficulté à s'amuser
   A - all; NA - all

6. Les Enfants d'alcooliques se prennent très au sérieux
   A - e, f, j, k; NA - all

7. Les Enfants d'alcooliques éprouvent de la difficulté à engendrer une relation intime
   A - a, b, c, d, e, k; NA - aa, dd, jj, kk, ll

8. Les Enfants d'alcooliques réagissent avec excès devant tout changement qu'ils ne peuvent contrôler
   A - cc, i; NA - dd

9. Les Enfants d'alcooliques recherchent constamment l'approbation et l'affirmation
   A - a, d, f, i, j; NA - ff, gg

10. Les Enfants d'alcooliques ont la sensation qu'ils sont différents des autres
A - e, f, h; NA - cc, jj

11. Les Enfants d'alcooliques sont démesurément responsables ou irresponsables
A - all; NA - all

12. Les Enfants d'alcooliques sont extrêmement loyaux même lorsqu'une telle manifestation de loyauté est imméritée
A - a; NA - aa, bb, gg. ii

13. Les Enfants d'alcooliques sont impulsifs. Ils ont tendance à s'emprisonner dans une voie sans prendre sérieusement en considération les comportements alternatifs ou les conséquences possibles. Cette impulsivité mène à la compulsion, au dégoût de soi-même et à la perte de contrôle sur leur environnement. De ce fait, ils consacrent plus d'énergie à réparer les dégâts que s'ils avaient tenu compte des alternatives et des conséquences, dès le début.
A - C, d, g, j; NA - ii, jj, ll

Voilà qui démontre très clairement comment les Enfants d'alcooliques sont les produits de leur environnement. Il est appréciable que nous connaissions l'environnement familial de l'alcoolique parce qu'il nous offre des réponses aux questions qu'on ne comprendrait peut-être pas autrement. Si la connaissance représente la liberté, et je crois que c'est le cas, en sachant ce qui s'est produit et ce que l'on peut en tirer, cela constitue un outil important pour comprendre le pourquoi de cette dimension. Les conjectures et l'imprécis se dissipent, les accusations contre soi perdent leur puissance et on devient libre d'oeuvrer dans la voie qui nous plaît. On n'est plus victime. On est au centre de son propre univers. Quel merveilleux endroit où se retrouver.

Lorsqu'on commence à se sentir «tiré» ou «poussé», on se doit d'explorer ces sentiments sans les juger, sans les laisser s'enfuir afin de maintenir sa sérénité et contrôler le courant de sa vie.

Le processus de la vie est une grande aventure qui comprend des torsions, des détours, des passages à certains endroits nécessaires et on est au centre et on laisse les choses suivre le cours normal. Voilà une attitude paisible et sereine, comme celle des Alcooliques Anonymes et des maximes bénéfiques comme «Agir aisément», «Un jour à la fois» et «Par la grâce de Dieu.»

La vie est un processus continu. Si on est au centre, si on est en contrôle de ses émotions, de ses pensées et ses désirs, on voyage dans la vie en empruntant bon nombre de petits sentiers et on vit chaque phase pleinement et complètement. Lorsqu'on est au centre de sa vie, on n'est pas tiré ou balancé par ses propres impulsions ou par les désirs des autres, on acquiert un sentiment de sérénité, une dimension de confort véritable à l'intérieur de soi-même.

Le présent ouvrage vise cet objectif. Il offre la connaissance qui permet de découvrir où vous étiez et où vous êtes. Il place aujourd'hui et demain carrément entre vos mains. Les choix sont vôtres, quels qu'ils soient. VOUS êtes en charge de VOUS, et c'est ce qui compte vraiment.

JANET G. WOITITZ

VIVRE ENSEMBLE

*Le petit manuel
du bonheur à deux*

Les Éditions
Modus Vivendi

*Comment
recevoir
tout l'amour
que vous
méritez !*

Cet ouvrage vous aide à cerner les vrais raisons qui limitent votre potentiel amoureux. À mesure que vous avancez dans votre lecture, vous améliorez votre capacité d'établir une relation amoureuse fondée sur le respect de votre personne, de vos bornes personnelles et de vos besoins. Redécouvrez la puissance de l'intimité et de l'amour !

Dans *Vivre ensemble*, vous apprenez :

- comment forger une relation de couple saine et durable;
- comment bien choisir son partenaire amoureux;
- comment clairement identifier le potentiel réel de votre relation actuelle;
- comment exprimer vos sentiments et vos craintes, dans le but d'éviter les conflits et les malentendus entre vous et votre partenaire;
- comment réagir efficacement face aux embûches et aux problèmes qui risquent de nuire à la communication au sein de votre couple;
- comment remettre en question les mythes qui peuvent nuire à votre capacité de nouer une union harmonieuse.

184 pages
ISBN 921556-10-1

Un livre essentiel de pensées quotidiennes.

Rokelle Lerner

L'ENFANT INTÉRIEUR

Un jour à la fois

Les Éditions
Modus Vivendi

L'Enfant intérieur, jour après jour

L'enfance est cette période privilégiée de la vie qui coule aisément, sans que soit compté le temps, pendant laquelle les désappointements sont peu nombreux. En est-il vraiment ainsi ? Pour nombre de ceux qui grandirent dans une famille dysfonctionnelle, l'enfance est plutôt la période pendant laquelle ils se rendirent compte que l'existence n'est pas cette merveilleuse aventure qu'elle pourrait être. Les messages négatifs véhiculés par les parents forment les attitudes qui influeront sur eux pendant le reste de leurs vies. Les enseignements négatifs reçus pendant l'enfance se manifestent souvent au cours de la vie adulte par des actes entraînant l'insuccès.

Cet ouvrage présente une méthode visant à renouer avec l'Enfant intérieur afin de mieux vivre pleinement. *L'Enfant intérieur, un jour à la fois* est destiné aux adultes désireux de guérir les blessures émotionnelles issues de l'enfance afin de passer d'un cycle empreint de douleur à celui menant à la guérison affective.

376 pages
ISBN 921556-07-3

La simplicité des douze étapes

Retrouver
l'harmonie
en soi

Les éditions
Modus Vivendi

*Retrouvez
votre sérénité
et joie de vivre
avec les
douze étapes*

Un levier de changement extrêmement puissant

Il existe un programme de rétablissement affectif qui allie tous les éléments nécessaires à l'épanouissement spirituel, au bien-être émotionnel et à la paix intérieure. Ce programme, élaboré en douze étapes, fut d'abord mis en oeuvre par les Alcooliques Anonymes. Au fil du temps, il a permis de transfromer avantageusement la vie de millions d'individus. Le programme des Douze étapes a aussi été adapté à tous ceux désirant atteindre une plus grande sérénité et joie de vivre. Cette démarche, qui se réalise essentiellement un jour à la fois, vous permet de renouer avec la force divine et lumineuse qui vous habite.

Retrouver l'harmonie en soi vous livre une interprétation des Douze étapes adaptée au renforcement de l'équilibre émotionnel et relationnel de la personne. Cette transformation intérieure peut s'opérer simplement, lorsque l'on s'adonne à une démarche à la fois profondément humaine et implicitement spirituelle. *Retrouver l'harmonie en soi* est donc un levier de changement extrêmement efficace, car il fournit aux individus et aux groupes une méthode pratique qui mène directement à la santé et à l'épanouissement.

184 pages
ISBN 921556-08-1

La méthode la plus efficace pour libérer votre Enfant intérieur !

Découvrir et rétablir l'Enfant en soi

Reconnaître que l'on est blessé intérieurement et laisser cette vérité éclater au grand jour peuvent mener à la libération de la douleur accumulée et de la souffrance inutile.

Une méthode de rétablissement permet de renouer avec l'enfant blessé qui dort en chacun, d'apprendre à le reconnaître afin de le guérir de ses maux passés. Cette méthode, élaborée par le Dr Charles Whitfield, et les causes de l'enfouissement de l'Enfant intérieur, sont exposées dans cet ouvrage. À sa lecture, vous apprendrez à retrouver l'enfant en vous et à le laisser s'exprimer.

224 pages
ISBN 2-921556-01-4

*Être bien
dans sa peau
et s'aimer
soi-même.*

**L'estime de soi est un choix,
non pas un droit acquis à la naissance.**

L'estime de soi, la valeur que je confère à ma personnalité et à mon moi véritable, est à la base de l'identité et de la personne que je suis. Nous comprenons tous l'importance de l'estime de soi, mais peu de gens sont en mesure de bien cerner la nature, les composantes et les facteurs spécifiques qui influent sur l'estime personnelle. Nous savons instinctivement qu'il faut tendre à développer une bonne estime de soi, chercher à se faire respecter et apprécier des autres, mais comment faire pour qu'une mauvaise estime de soi devienne favorable ? Comment arrive-t-on à clairement identifier une mauvaise estime de soi et comment peut-on initier des changements positifs à cet égard ? *Apprendre à s'aimer* est un manuel de référence pour tous ceux qui désirent améliorer leur estime de soi, leurs relations affectives et professionnelles, ainsi que leur capacité d'expression. *Apprendre à s'aimer* nous aide à identifier clairement quels sont les ennemis de l'estime de soi.

176 pages
ISBN 921556-05-7

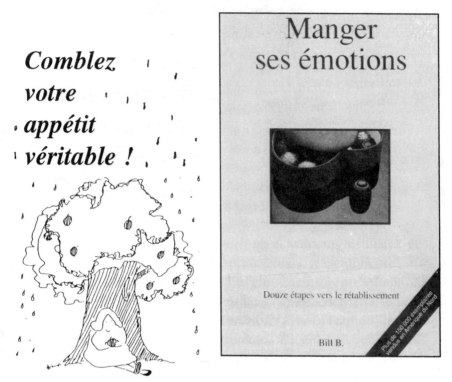

Comblez votre appétit véritable !

Manger ses émotions

Douze étapes vers le rétablissement

Plus de 150 000 exemplaires vendus en Amérique du Nord

Bill B.

Douze étapes vers le rétablissement

Dans ce livre, l'auteur nous apprend que l'embonpoint et les troubles reliés à l'alimentation sont les signes extérieurs d'un malaise profondément ancré. Afin de rompre le cercle vicieux de la compensation, de la honte et de l'impuissance qui résultent de la suralimentation et d'une piètre estime de soi, il faut entamer un processus de transformation émotionnelle et spirituelle qui conduit, en dernier lieu, à une vision nouvelle de soi-même et des autres.

Il est donné à tous de retrouver un poids idéal, mais maintenir ce poids par la suite nécessite un travail émotionnel et spirituel. Il faut avant tout mincir dans sa tête et dans son coeur.

Cet ouvrage s'adresse en particulier à ceux et celles qui, après avoir fait de durs efforts pour maigrir, ont regagné chaque fois le poids perdu en un rien de temps.

332 pages
ISBN 2-921556-04-9

Des pensées quotidiennes tirées de la profondeur de l'âme...

S'aimer, Un jour à la fois vous permettra de redécouvrir la douceur et la joie de l'estime de soi. Ces pensées quotidiennes ont été puisées de la profondeur de l'âme. En parcourant ces pages, vous sentirez renaître en vous la joie de vivre. *S'aimer, Un jour à la fois* est une grande bouffée d'air frais qui vous ramène à l'essentielle bonté de votre être et à l'ultime expression de votre coeur.

«Aujourd'hui, je dis bonjour à la vie. Je sais que chaque fois que j'inspire, j'absorbe une puissante énergie de guérison. Et chaque fois que j'expire, je lâche prise. J'abandonne toute l'anxiété, toute la tension et toute la négativité qui m'empêchent de me sentir bien.»

376 pages
ISBN 921556-11-1

imprimerie gagné ltée

IMPRIMÉ AU CANADA